中國碑帖名品［五］

秦刻石三種

泰山刻石

琅琊臺刻石

嶧山刻石

上海書畫出版社

《中國碑帖名品》編委會

前言

中華文明綿延五千餘年，文字實具第一功。從倉頡造字而雨粟鬼泣的傳説起，歷經華夏子民智慧聚集、薪火相傳，終使漢字生生不息、蔚爲壯觀。伴隨著漢字發展而成長的中國書法，基於漢字象形表意的特性，在一代又一代書寫者的努力之下，最終超越其實用意義，成爲一門世界上其他民族文字無法企及的純藝術，并成爲漢文化的重要元素之一。在中國知識階層看來，書法是中國人『澄懷味象』、寓哲理於詩性的藝術最高表現方式，她净化、提升了人的精神品格，歷來被視爲『道』『器』合一。而事實上，中國書法確實包羅萬象，從孔孟釋道到各家學説，從宇宙自然到社會生活，中華文化的精粹，在其間都得到了種種反映，書法無愧爲中華文化的載體。書法又推動了漢字的發展，篆、隸、草、行、真五體的嬗變和成熟，源於無數書家承前啓後、對漢字美的不懈追求，多樣的書家風格，則愈加顯示出漢字的無窮活力。那些最優秀的『知行合一』的書法家們是中華智慧的實踐者，他們彙成的這條書法之河印證了中華文化的發展。

因此，學習和探求書法藝術，實際上是瞭解中華文化最有效的一個途徑。歷史證明，漢字及其書法衝破了民族文化的隔閡和時空的限制，在世界文明的進程中發生了重要作用。我們堅信，在今後的文明進程中，這一獨特的藝術形式，仍將發揮出巨大的力量。然而，在當代這個社會經濟高速發展、不同文化劇烈碰撞的時期，書法也遭遇前所未有的挑戰，這其間自有種種因素，而漢字書寫的退化，或許是書法之道出現踟躕不前窘狀的重要原因，因此，有識之士深感傳統文化有『迷失』、『式微』之虞。書法藝術的健康發展，有賴對中國文化、藝術真諦更深刻的體認，彙聚更多的力量做更多務實的工作，這是當今從事書法工作的專業人士責無旁貸的重任。

有鑒於此，上海書畫出版社以保存、還原最優秀的書法藝術作品爲目的，承繼五十年出版傳統，出版了這套《中國碑帖名品》叢帖。該叢帖在總結本社不同時段字帖出版的資源和經驗基礎上，更加系統地觀照整個書法史的藝術進程，彙聚歷代尤其是今人對不同書體不同書家作品（包括新出土書迹）的深入研究，以書體遞變爲縱軸，以書家風格爲横綫，遴選了書法史上最優秀的書法作品彙編成一百册，再現了中國書法史的輝煌。

爲了更方便讀者學習與品鑒，本套叢帖在文字疏解、藝術賞評諸方面做了全新的嘗試，使文字記載、釋義的屬性與書法藝術造型、審美的作用相輔相成，進一步拓展字帖的功能。同時，我們精選底本，并充分利用現代高度發展的印刷技術，精心校核，原色印刷，幾同真迹，這必將有益於臨習者更準確地體會與欣賞，以獲得學習的門徑。披覽全帙，思接千載，我們希望通過精心編撰、系統規模的出版工作，能爲當今書法藝術的弘揚和發展，起到綿薄的推進作用，以無愧祖宗留給我們的偉大遺産。

上海書畫出版社

簡介

秦始皇統一六國以後，曾多次巡視全國，刻石紀功，歌頌秦德。據《史記・秦始皇本紀》載，曾有《泰山刻石》、《瑯琊臺刻石》、《嶧山刻石》、《芝罘刻石》、《東觀刻石》、《碣石刻石》、《會稽刻石》等七種。二世元年，秦二世東行郡縣，於始皇所立石旁增刻大臣從屬姓名，以彰始皇盛德，復刻詔書於其旁。以上數種刻石傳均爲李斯所書。

李斯（生年不詳，卒於公元前二〇八），楚上蔡（今河南上蔡西南）人。是秦代著名的政治家、文學家和書法家。在秦始皇統治時期，被任命爲丞相。曾以秦篆爲基整理戰國時其他六國文字，規範後之篆書，後世稱之爲『小篆』。其書法嚴謹渾厚，平穩端寧。李斯則被後世尊之爲『小篆鼻祖』。

《泰山刻石》，又名《封泰山碑》。刻於秦始皇二十八年。原刻石立於山東泰山玉皇頂。石四面環刻，三面爲始皇詔，一面爲二世詔及從臣官職名字。明嘉靖時，此石流至碧霞元君祠西墻外的玉女池旁，時僅存二世詔書四行二十九字。至清雍正年間，此石被移置至碧霞元君祠之東廡。清乾隆五年，碧霞祠遭火災，石佚。清嘉慶二十年春，由蔣因培等人在玉女池中覓得殘石兩塊，尚存『斯臣去疾昧死臣請矣臣』十殘字。遂嵌於岱頂东岳廟壁上。殘石後世仍有移動，然均在岱廟附近。殘石現存山東泰安岱廟。本次選用之本爲存世文字數量最多的『一百六十五字本』，此本現藏日本。整幅『十字本』爲朵雲軒藏劉燕庭舊藏清中期精拓，下有張廷濟長跋，係首次原色全本影印。

《瑯琊臺刻石》，刻於秦始皇二十八年。石刻原在山東諸城東南百六十里山下，東南西三面環海。據《山左金石志》載：『乾隆間泰州宫懋讓知事見石裂，熔鐵束之，得以不頹。』道光時，鐵束散，石碎。光緒廿六年，此石毀佚。一九二一至一九二二年，王培裕前後兩次至瑯琊臺搜尋，將散碎石塊湊合，所幸傷損不多，殘存十三行，計八十六字。後移置縣署，解放後移置山東博物館，一九五九年移置中國歷史博物館。現陳列於中國國家博物館。本次選用之本爲朵雲軒所藏清同治光緒時陳介祺洗石後濃墨精拓本，堪稱是《瑯琊臺刻石》拓本最爲清晰之本。整幅亦爲朵雲軒所藏，清嘉慶間阮元手拓並長跋贈畢沅之本。兩本均係首次原色全本影印。

《嶧山刻石》，亦稱《嶧山碑》。古嶧山也作繹山、東山，故舊時文獻亦有稱之爲《繹山刻石》。原石刻於秦始皇二十八年，立於山東嶧山。原石至唐時已不可見，杜甫曾有『嶧山之碑野火焚，棗木傳刻肥失真』語。宋淳化四年（九九三），鄭文寶以南唐徐鉉摹本重刻於長安，碑陰有鄭文寶題記。此刻石後世摹刻甚夥，而首推此『長安本』最佳。本次選用之本爲清端方舊藏清中期舊拓，整幅亦同時期所拓。兩本皆爲朵雲軒所藏，均係首次原色全本影印。

泰山刻石

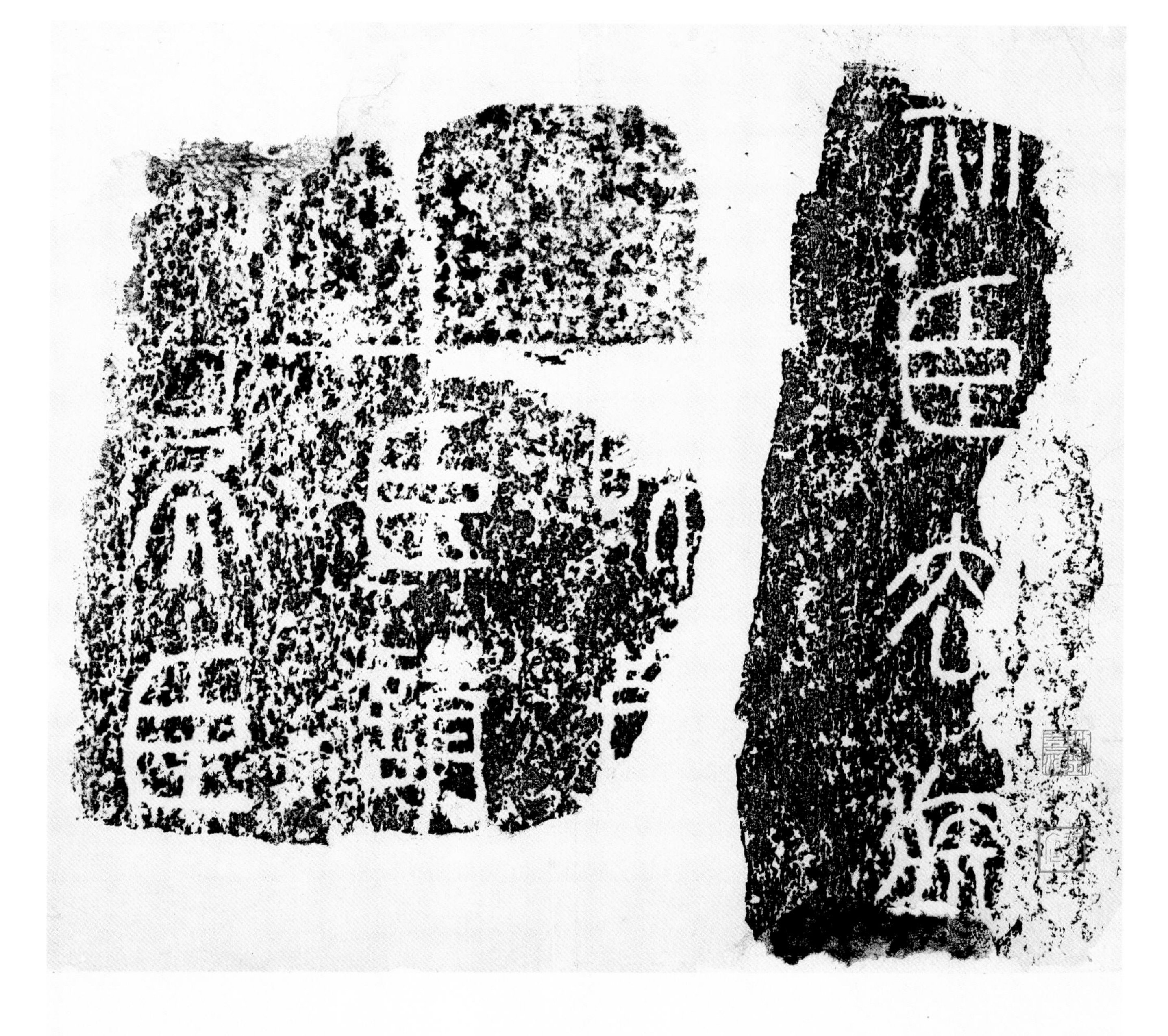

岱頂秦篆存十字殘本

秦篆岱頂廿九字庚申之夏火所焚乾隆五年後七十載殘字十燼餘却来補
舊聞元君廟剩廢池址瓦礫堆起光輪囷粗可讀者臣請矣斯臣去
疾昧死臣依然之罘嶧碑上李斯小篆留先秦蔣知縣拓到葉子
持贈蘇齋同鑒真葉子正摹秦篆石甲秀堂蹟究如新我為辨
古題小隸劉斯立譜次第循工鑴力怯屢縮手歎息古法難傳神葉
子精思鐙取影阮侍郎共稽本論芸臺摹刻天鑒苦心何以畀物惟絕少
彌見珍不比會稽鵞鼻頂申屠巨幅勞貞珉頗聞江寧嶧山本李
登刻近灰劫塵寄語江城睹古客儻獲接佚毋蘿湮葉子亟摹此
殘拓硯璞匹之岐鼓辛我陷北平許跋後卷石氣已雄天門

大興翁學士覃溪先生此詩刻復初齋詩集第六十八卷為石
畫軒草十一為嘉慶二十年乙亥八月作先生是年八十三又三年先生卒葉子
謂葉東卿志詵也

岱頂殘字石二片是蔣伯生大令手剔得之而王芷堂郡伯拓寄者朱
楚雲為作圖以寄之屬題二詩

楚雲夢到天門上惟見金泥起白雲寄与笑吞丹篆者孟韓而外
幾人聞　我憶曹南片石青金絲墨響叩遺經煩君併畫移
碑卷五色雲霞護廡庭予因蔣君往山東致書陳中丞移城武廟堂碑於曲阜孔廟

右詩刻復初齋集六十九卷為石畫軒草十三在嘉慶丁丑

秦相李斯篆廿九字自明嘉靖時移至碧霞廟　國朝乾隆五年
廟燬失之嘉慶廿年蔣大令得之玉女池中寄殘石拓本十字作詩報之
空摹遺篆笑申徐申屠駉徐鉉訪古輸君興不孤一炬碧霞成瓦礫千年
玉筋未糢糊交稀剩憶韓陵石政美能還合浦珠想見賞奇思勝友先
臨日觀望東吳

右陽湖孫淵如觀察星衍詩寫貽余從子質夫開福而質夫錄寄余者

道光十三年癸巳十二月三日錄附秦篆十字拓本後張廷濟

秦篆真跡何芝雅厚此冊一面存三十六字

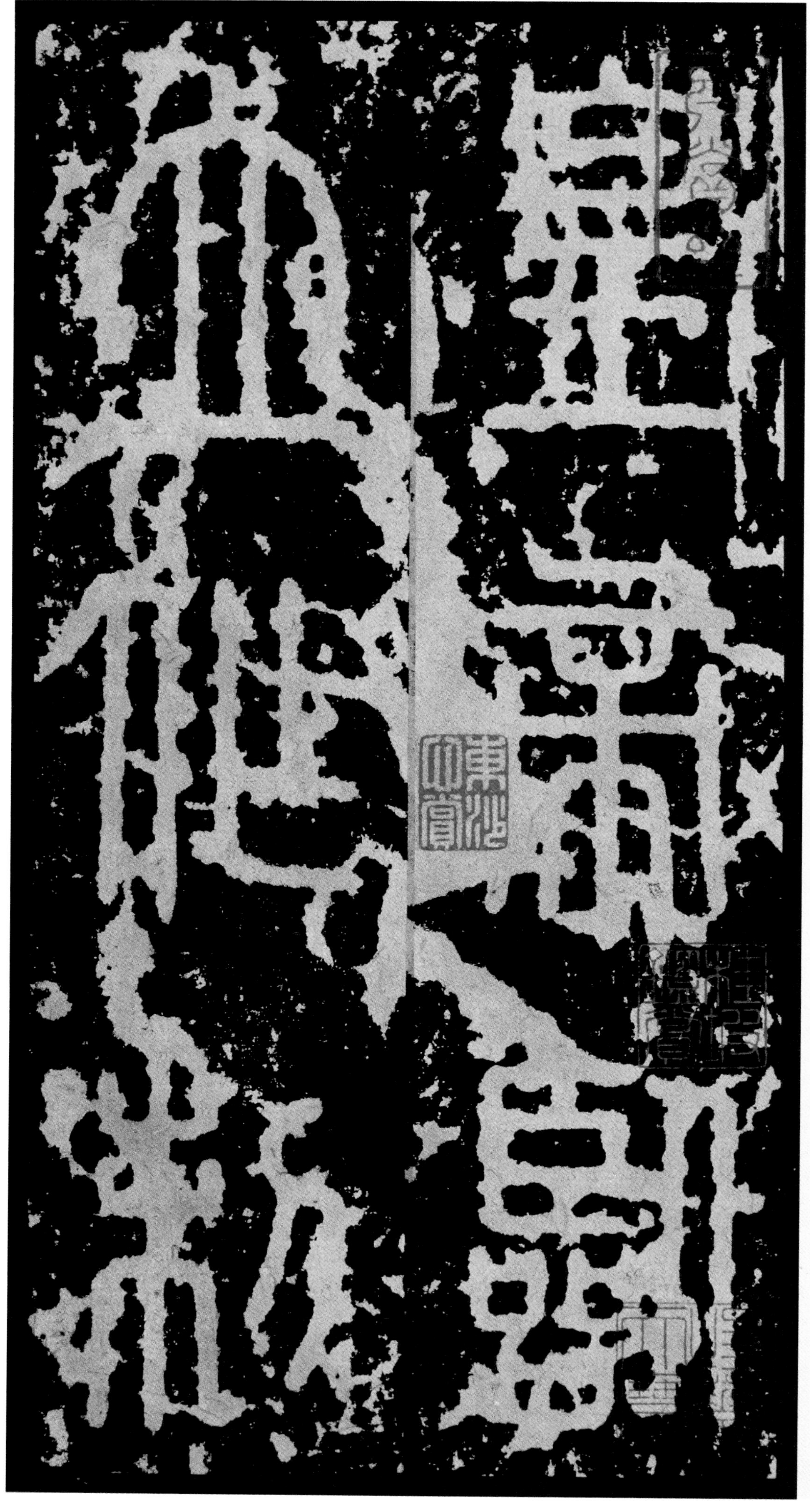

【秦始皇刻辭】皇帝臨／立，作制／

皇帝：由秦始皇始用的帝王尊號。

立：『位』的古字。臨位：即位。

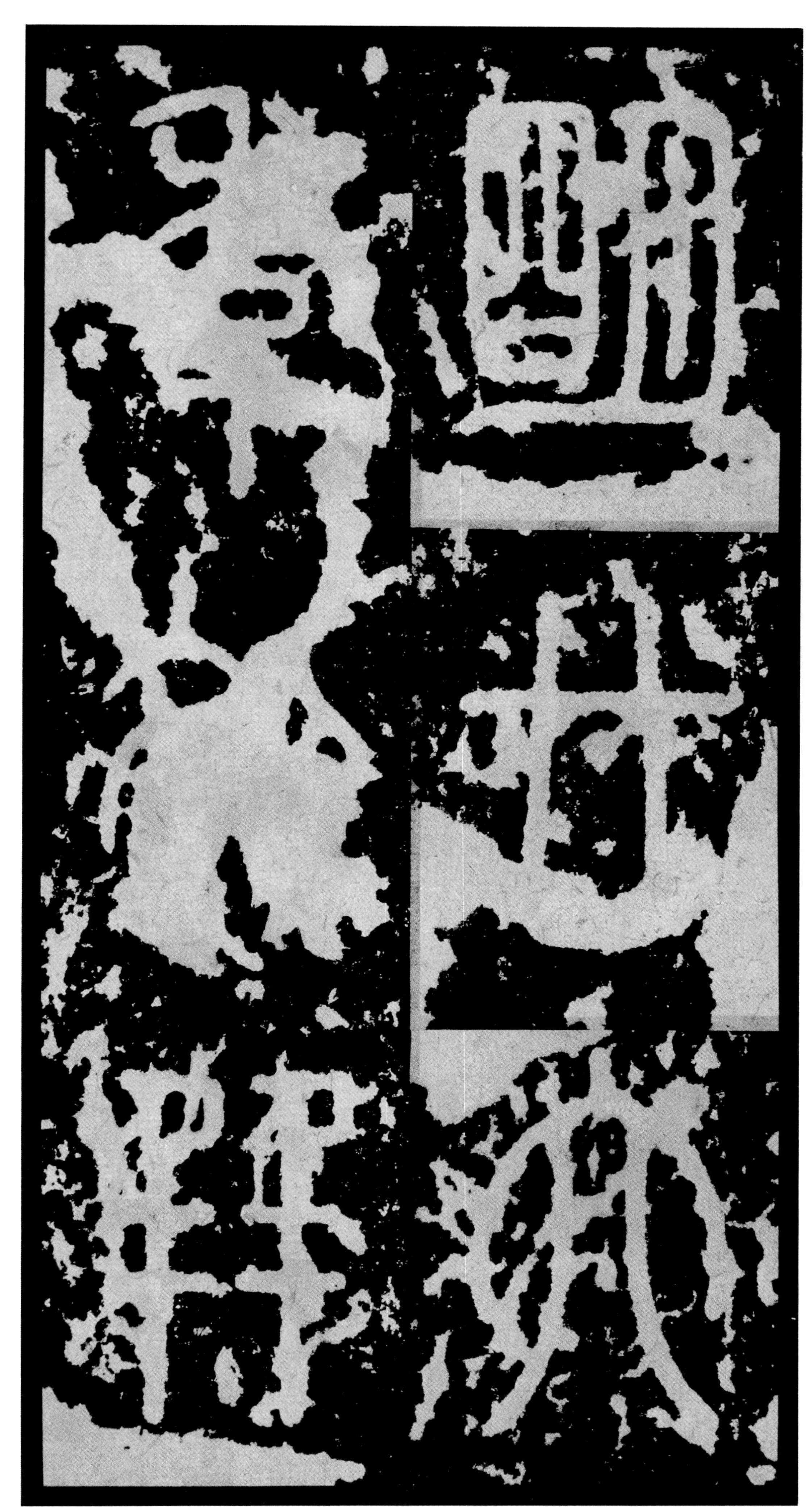

明（法，臣下修飭）。廿（有）六／年，初並（天下，罔）／

不（賓服）。竊巡/遠黎，登/

竊巡遠黎：此句《史記》作『親巡遠方黎民』，當是傳抄中將注釋文字誤入正文所致。竊：同『親』。遠黎：遠方黎民。

茲（泰）山，周（覽東極）。／從臣思／

迹，本原（事業，祇誦功）／德。治道／

思迹：追憶往事。

治道：治國的方略。

運行，者/產得宜，/

者：「諸」的古字。諸產：各類生產。

大義引下篆專二面存二十六字 桂馥

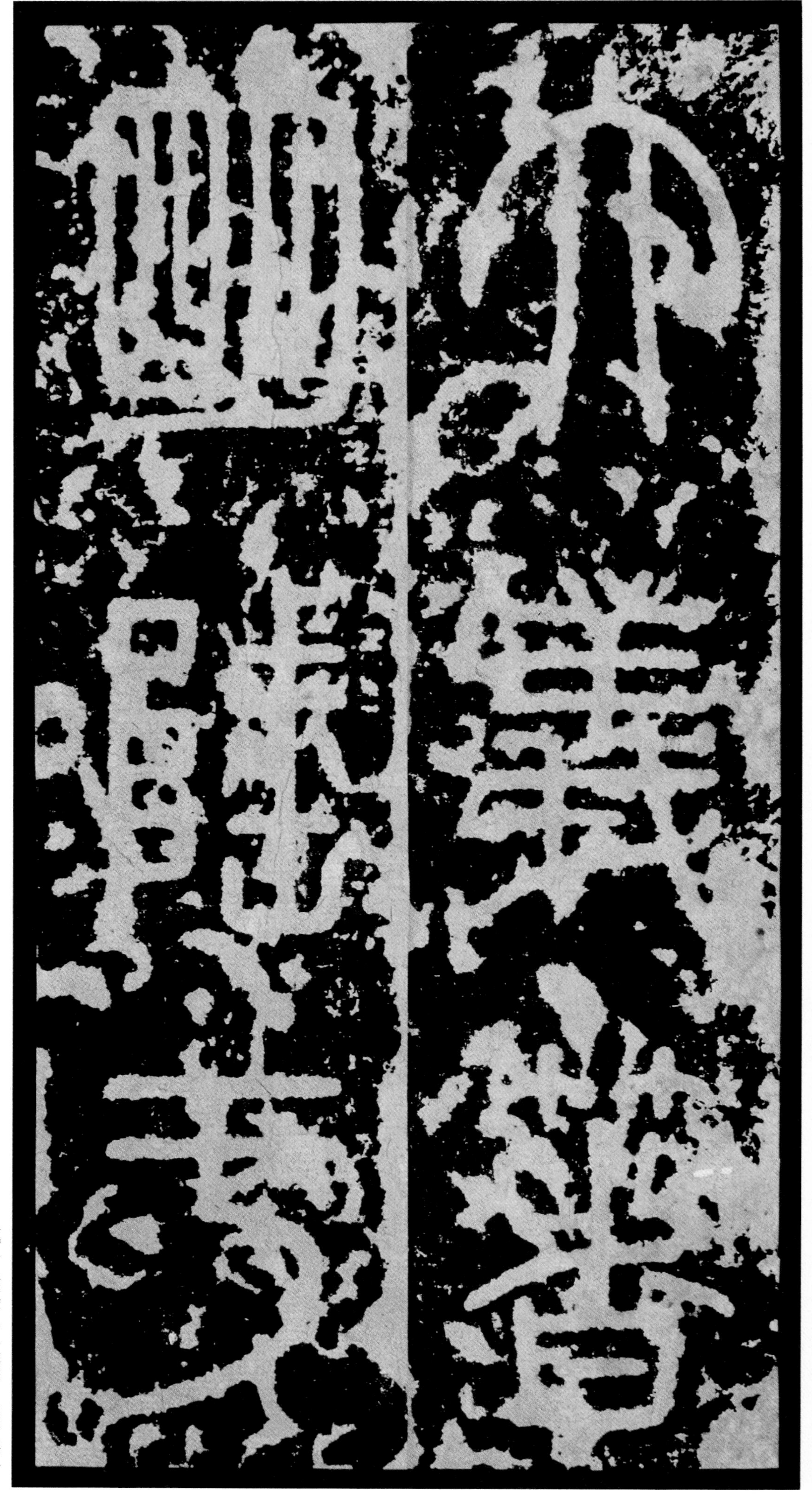

（皆有法式）。大義著〳明，陲於〳

陲：通『垂』。

後嗣，（順承勿）革。／皇帝躬／

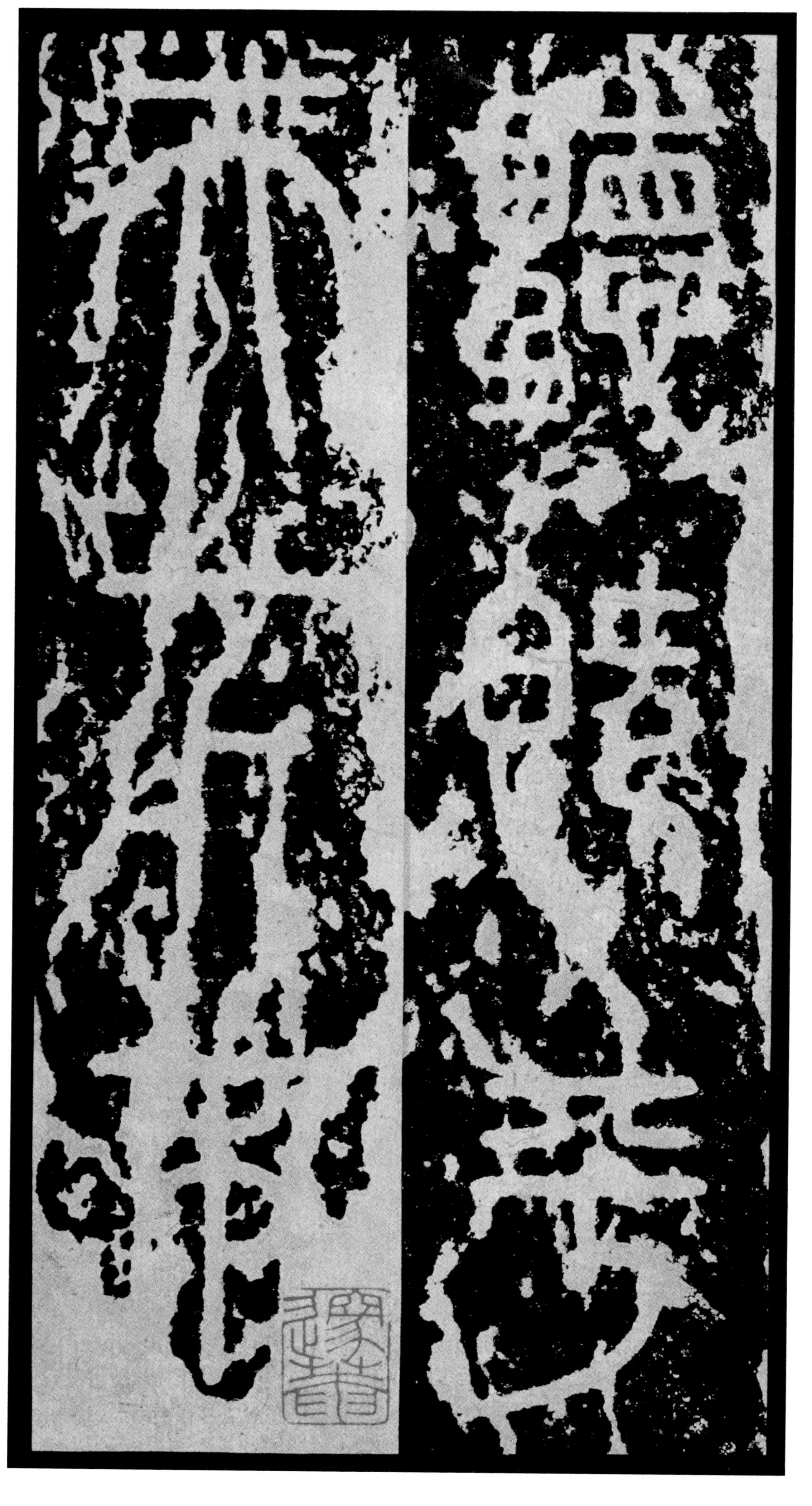

聽，既平／天下，不（懈於治）。／

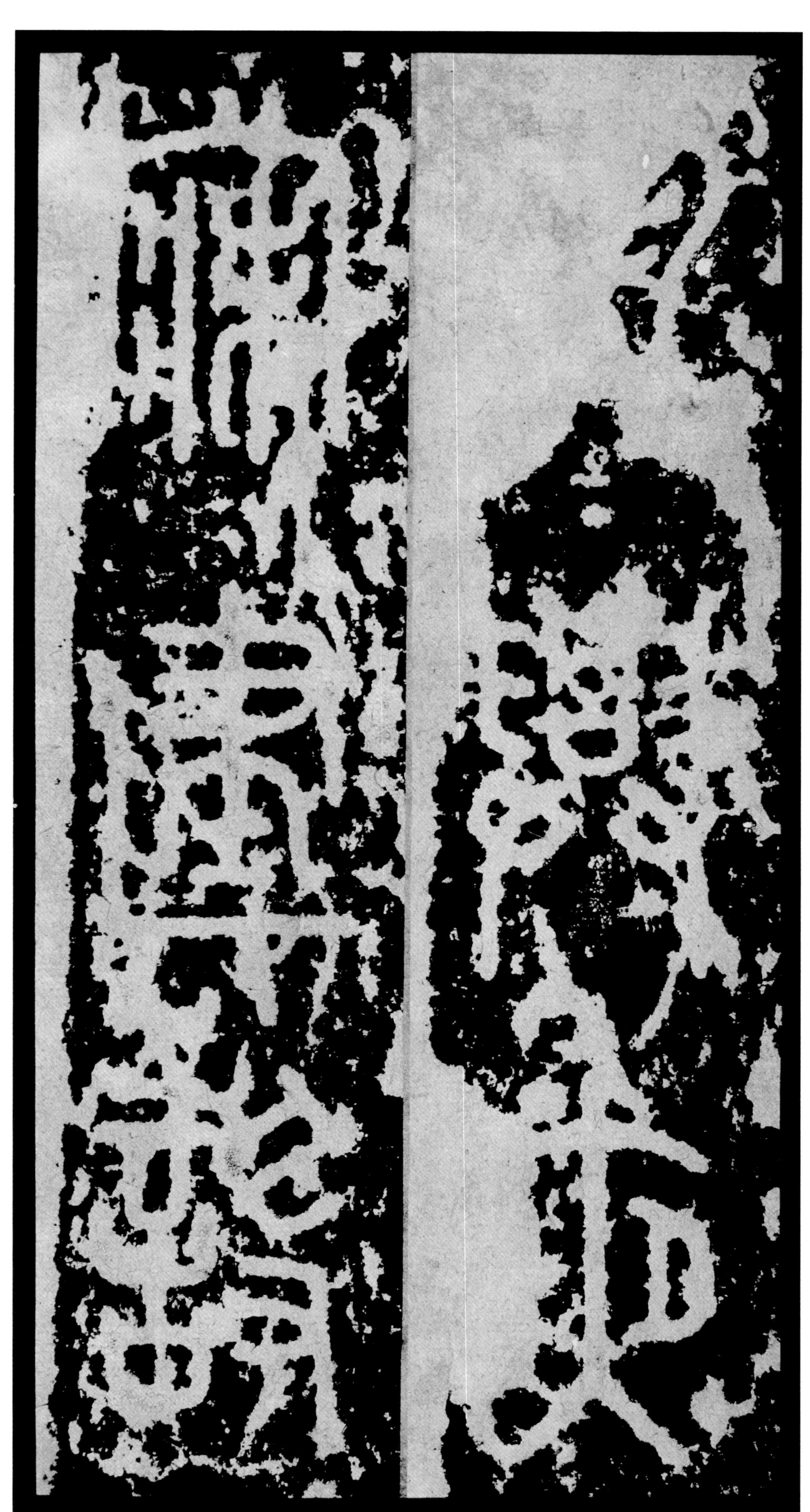

夙興夜寐：早起晚睡，形容勤勞。語出《詩經·大雅·抑》：『夙興夜寐，灑掃庭内，維民之章。』孔穎達疏：『侵早而起，晚夜而寐，灑掃室庭之内。』夙：早。

夙興夜／寐，建設／

訓經引下闕凡三面存四十七字

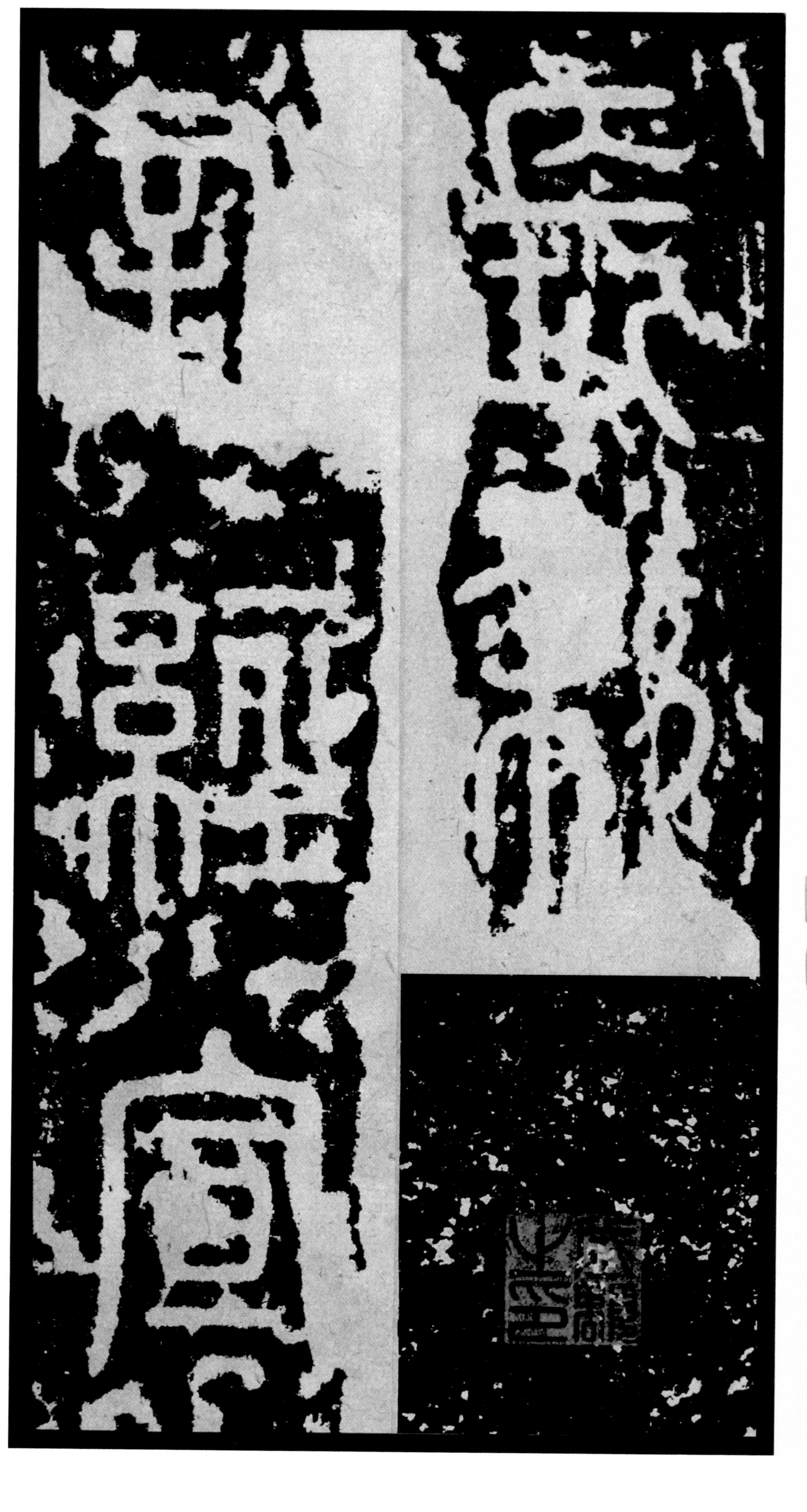

長利，（專隆教誨）。/訓經宣/

達，遠近／畢理，咸（承聖志）。／

貴賤分∕明，男女∕

昭：明顯。隔：劃分。一説『昭隔』即『昭融』。《史記·秦始皇本紀》宋裴駰《集解》：『徐廣曰：「隔」一作「融」。』昭融：光大發揚。語出《詩經·大雅·既醉》：『昭明有融，高朗令終。』毛傳：『融，長。朗，明也。』高亨注：『融，長遠。』

體順，慎（遵職事）。/昭隔内/

外，靡不／清淨，（施於）昆（嗣）。／

靡：無，没有。

化：教化。

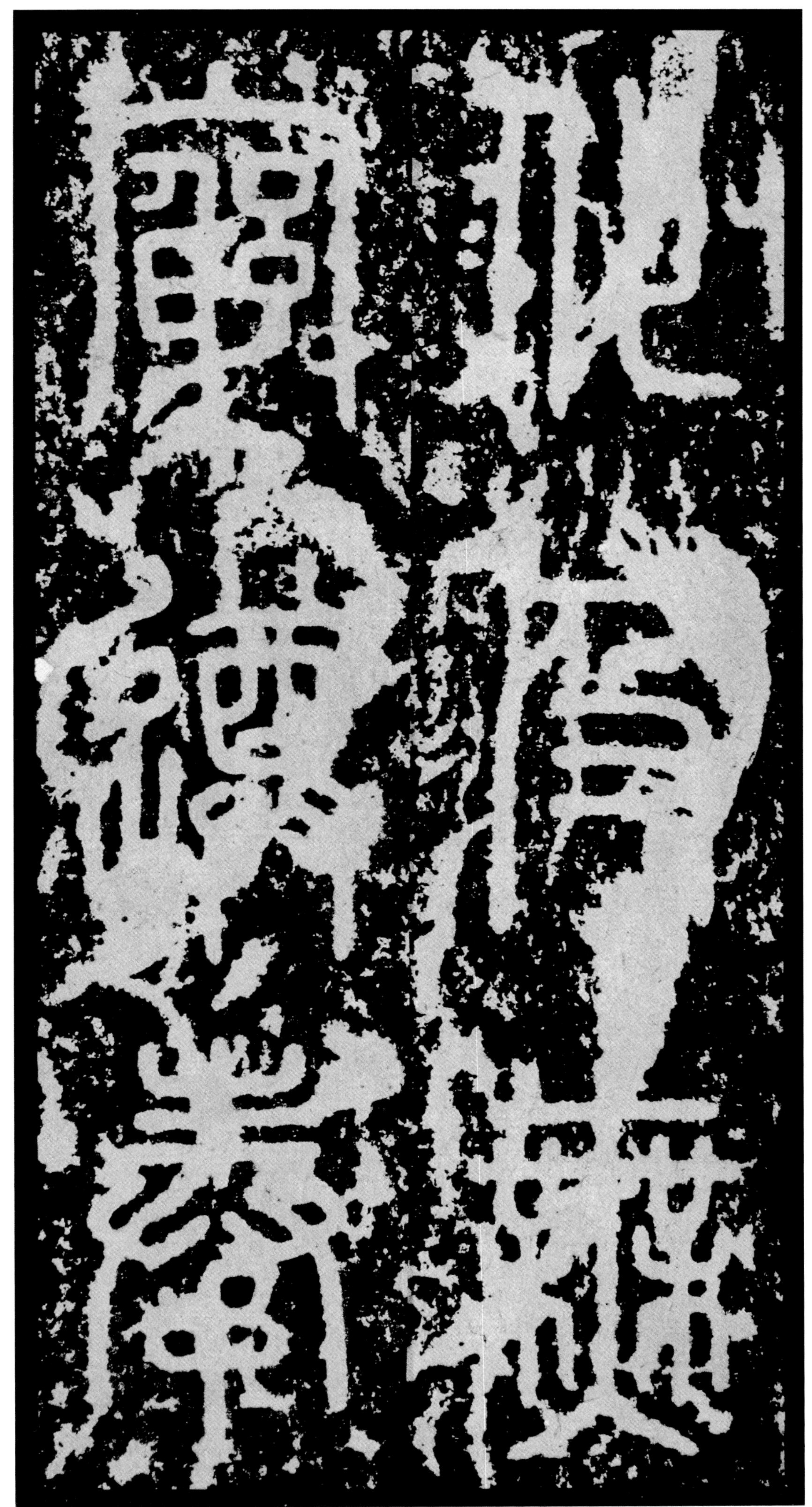

化及無窮，遵奉

遺詔，（永承重戒）。／【秦二世詔書】皇帝曰：／

皇帝曰：按，本句以下是秦二世時所刻詔書，意在説明以上的刻辭是秦始皇所刻。

『金石刻／盡／

金石刻：刻於銅器、碑碣的文字。

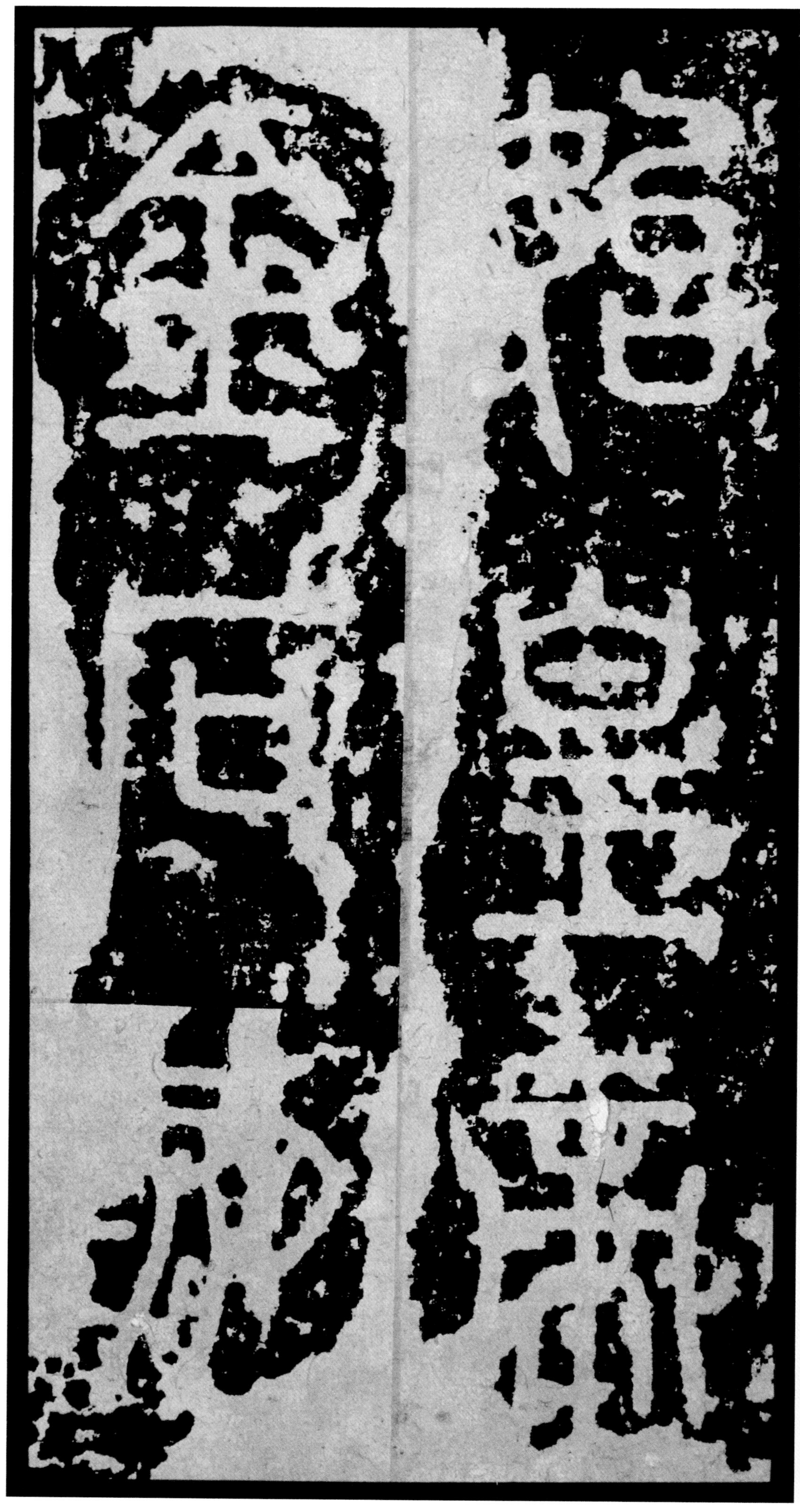

始皇帝（所爲也。今襲號，而）／金石刻／

辭不稱／始皇帝，／

其於久／遠也，如／

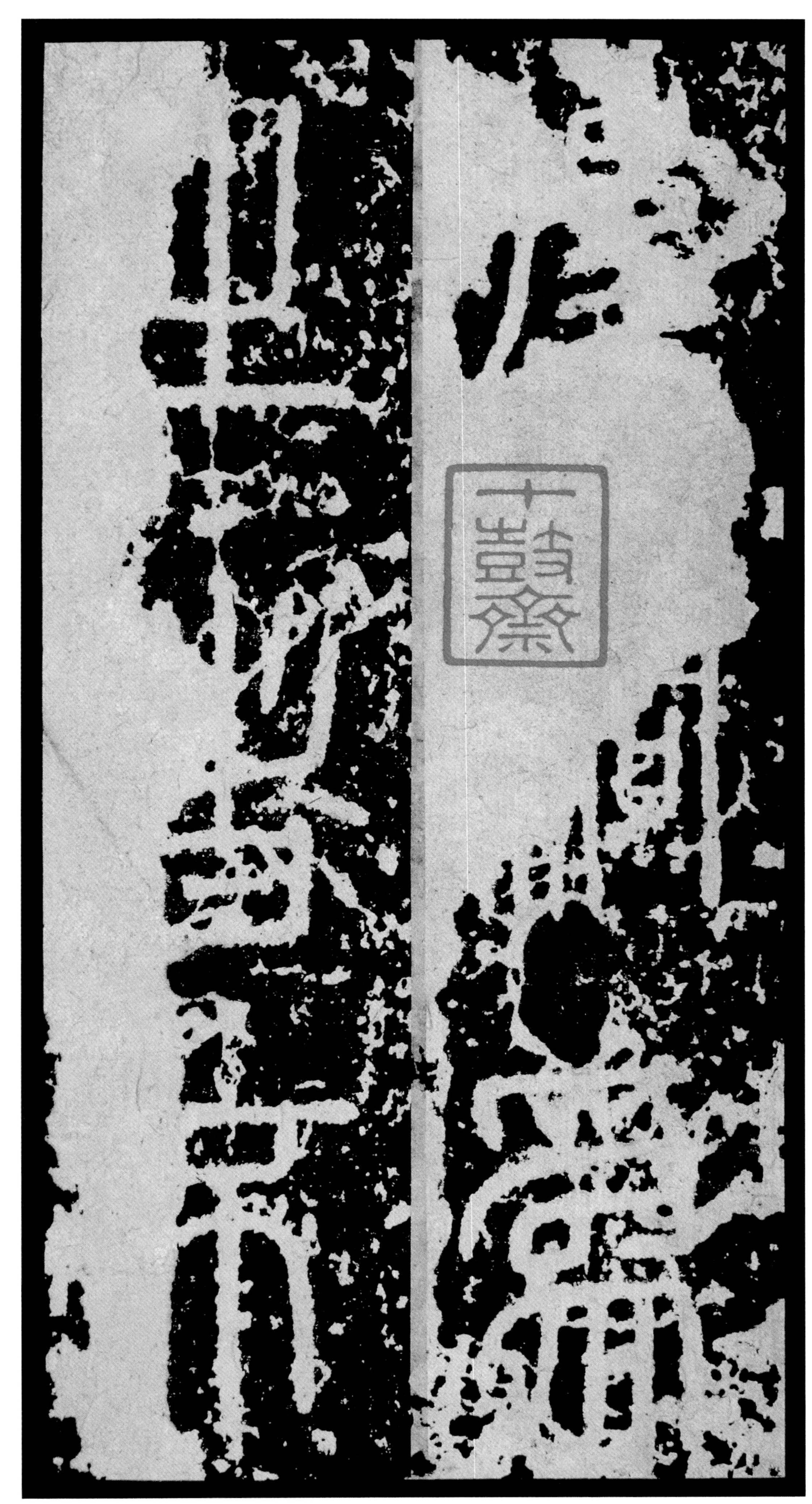

後嗣爲㇏之者，不㇏

稱成功（盛德）。』／丞相臣／

丞相臣斯：即左丞相李斯。

臣去疾：據《史記集解》，即右丞相馮去疾。

斯、臣去／疾、御史／

御史大夫臣德：此人史籍失載其姓。

大夫臣（德）昧∕死言：∕

『臣請具／刻詔書／

詔書：秦二世的詔書。即指上文『皇帝曰』下面的此一段話。

金石刻，/因明白/

矣。臣昧〻死請。』〻

制：皇帝下達的命令。

可：表示允許。

制曰：『可。』/

斯石可三字本爲末行因詔文中臣請具一行不應提而提多占一行地位以致石不敷容不得已轉刻於第一面石邊適在首行上似首行實非首行也今移裝於末行甚善甚善

桂翁再題

右秦封泰山碑李斯妙蹟也因在泰山之頂摩拓
維艱故流傳絕少昔年余得朱十角所藏五十餘
字本鑑家已題爲甲觀余又得自慶季嗣有八傳
録頌上周公李公入家藏有四面全拓本存字極
多稱爲墨林瓌寶雖不能見也嚮往之真賞齋之
中角豪更嗜古成癖聞之怦怦也勤屬吳臣見幣
求易居然得請引歸詢其所損倍於予因蘭亭可
謂重入瀬而不顧抹金舁有入引捷足先得相告

者余白西間神物祇求得所何以定屬於我乎今
重裝既成之入命自過我並攜此冊見老白記見
君用篆筆籤題石鼓濃可寶玩此碑既高又引篆
筆書語乎余白唯唯攷此碑在宋尚極完全因書
李斯刊而後立當事者因銘文一面上下較完遂植
引外向拓者避難迺易卷多就此一面施工歲月
寖久習見不察引爲殘三面沒字之矣大觀中汝
陽劉跂數泰篆之漫□神蹤之脩隧遂親登岱山

復親至碑下披榛軼林引此碑故蘇影昔引得字
洗濯拂拭精摩引歸於是全碑之文始顯並刻譜
於世斯碑之權傳實劉氏之功也當其時宋尚晉
書碑帖於秦篆漢隸絕少研求故劉氏後竟未聞
有入再拓石又漸泐至朱十角韵拓僅得最後四
行行皆爲相並字已不可見今所藏此冊亦異想
當日劉氏摩拓不止一本爲時不久以尚有流示
人間者此本紙墨奇古尉爲周至爲劉氏所拓之

一可斷言也裝冊十四葉有半共計存字一百六
十六雖非全文已得七八劉譜所稱二百二十有
二者核與碑銘計之辭有冊中並無私入臣謹
有麗澤書院一印書院爲課試之地是劉氏所存
此本傳多歷稽模與不知何由入於李氏之篋也
冊中東四面除所字余本遺脫外餘悉相同可見
余本又宋時所拓而傳墨本或有零在其肯者如
宋真宗東封襲字摩本引獻宋哲公撫引刻石

者亦僅此銘文一通其拓本余曾見之於新[illegible]後翻刻者大字廉而不摹故僅得四十七字今鐳譜所鮮流傳宋莒公亦不易得所見者僅絳帖中翻摹之本形神頓失譌謬亦多與原雖存銘文數十字筆畫粗肥已失真意惟若嶧山會稽之非可真本覆摹者要不足論矣今所得此紀纍僅有之本優精意鉤摹勒石於西其傳古之功當不在鄭文寶宋莒公申屠駉諸人下也生人於昔書遺蹟尚勒帖所傳之詎有過此先秦篆實反淡漠視之者乎余日望之矣桂坡安國題於十鼓齋中

此葉更三於宋莒公下遺本字

宋鄭文寶覆刻嶧山碑銘文之字亦於頌詞此據後人臨本覆摹不知當日秦刻何如也此碑所有後相同惟更四面之字獨見之但稍覺漫弱者因此面顯露日久所歷雨淋日炙之天時復經敲火燬存之人事所以不時椎擊石廢磨損筆畫之漫纍漶其半故間有拓及字底時呈水石斷者此物理之自然非人力所能補助轉不若後三面之封閉日久猶得保存其淮强渾厚之致爾生人以為何如　桂坡子題

瑯琊臺刻石

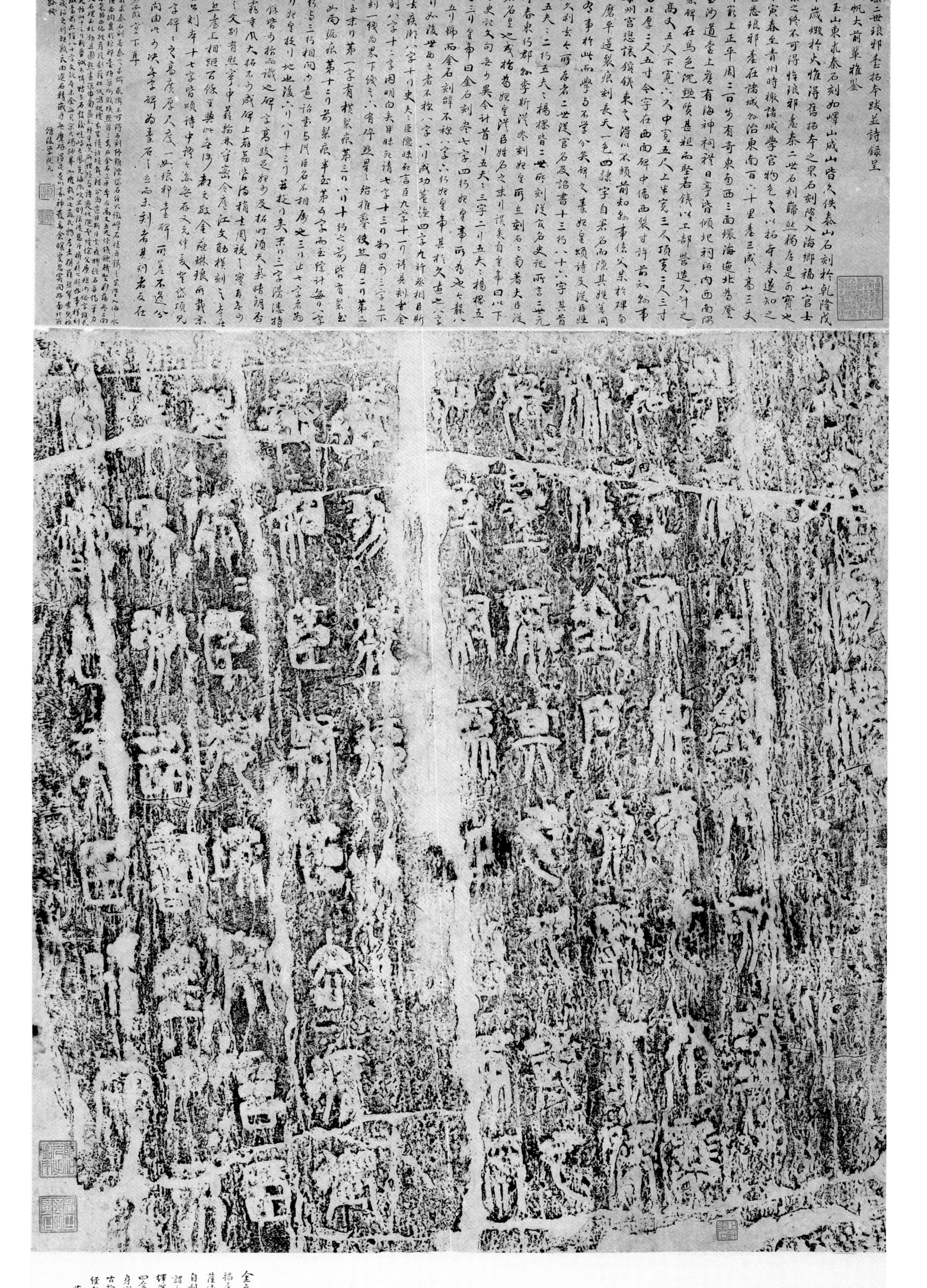
秦二世琅邪臺拓本跋並詩錄呈
秋帆大前輩雅鑒

【秦始皇刻辭】……（五大）□□□五大夫楊樛……／【秦二世詔書】皇帝曰：『金／石刻盡／

皇帝曰：按，《琅琊刻石》現存文字主要是秦二世時所刻詔書，原刻於秦始皇刻辭之後，意在説明此前的刻辭是秦始皇所刻。

金石刻：刻於銅器、碑碣的文字。

始皇帝所／爲也。今襲／號，而金石／

襲號：秦二世承襲秦始皇的『皇帝』尊號。

刻辭不稱／始皇帝，其／於久遠也，／

如後嗣爲／之者，不稱／成功盛德。』／

丞相臣斯、/臣去疾、御/史大夫臣德/

丞相臣斯：即左丞相李斯。

臣去疾：據《史記集解》，即右丞相馮去疾。

御史大夫臣德：此人史籍失載其姓。

詔書：秦二世的詔書。即指上文『皇帝曰』下面的此一段話。

昧死言：『臣／請具刻詔／書金石刻，／

因明白矣。／臣昧死請。』／制曰：『可。』／

嶧山刻石

皇帝立國維初在昔嗣世稱王討伐亂
逆威動四極武義直方戎臣奉詔經時
不久滅六暴強廿有六年上薦高號孝
道顯明既獻泰成乃降專惠親輸遠方
登于繹山群臣從者咸思攸長追念亂
世分土建邦以開爭理功戰日作流血
於野自泰古始世無萬數陀及五帝莫
能禁止迺今皇帝壹家天下兵不復起
災害滅除黔首康定利澤長久群臣誦

【碑陽】

略刻此樂石以著經紀皇帝曰金石刻
盡始皇帝所為也今襲號而金石刻辭
不稱始皇帝其於久遠也如後嗣為之
者不稱成功盛德丞相臣斯臣去疾御
史大夫臣德昧死言臣請具刻詔書金石
刻因明白矣臣昧死請制曰可

曹仲桂刻

錫山王□□觀

秦相李斯書嶧山碑跡妙時古殊為世重故散騎常侍徐公鉉酷耽玄箸垂五十年時無其比晚節獲嶧
山碑摹本師其筆力自謂得思於天人之際因是廣求己之舊跡焚擲略盡文寶受學徐門粗堅企及之
志太平興國五年春再舉進士不中東適齊魯客　登嶧山求訪秦碑邈然無覩逮於旬浹悵恨于榛
蕪之下惜其神蹤將墜於世今以徐所授摹本刊　于長安故都國子學廣博雅君子見先儒之指歸淳
化四年八月十五日承奉郎守太常博士陝府西　諸州水陸計度轉運副使賜緋魚袋鄭文寶記

舊拓秦繹山碑
匋齋尚書藏本

維：發語詞，無意義。

【秦始皇刻辭】皇帝立／國，維初／

嗣世：接續，繼承。

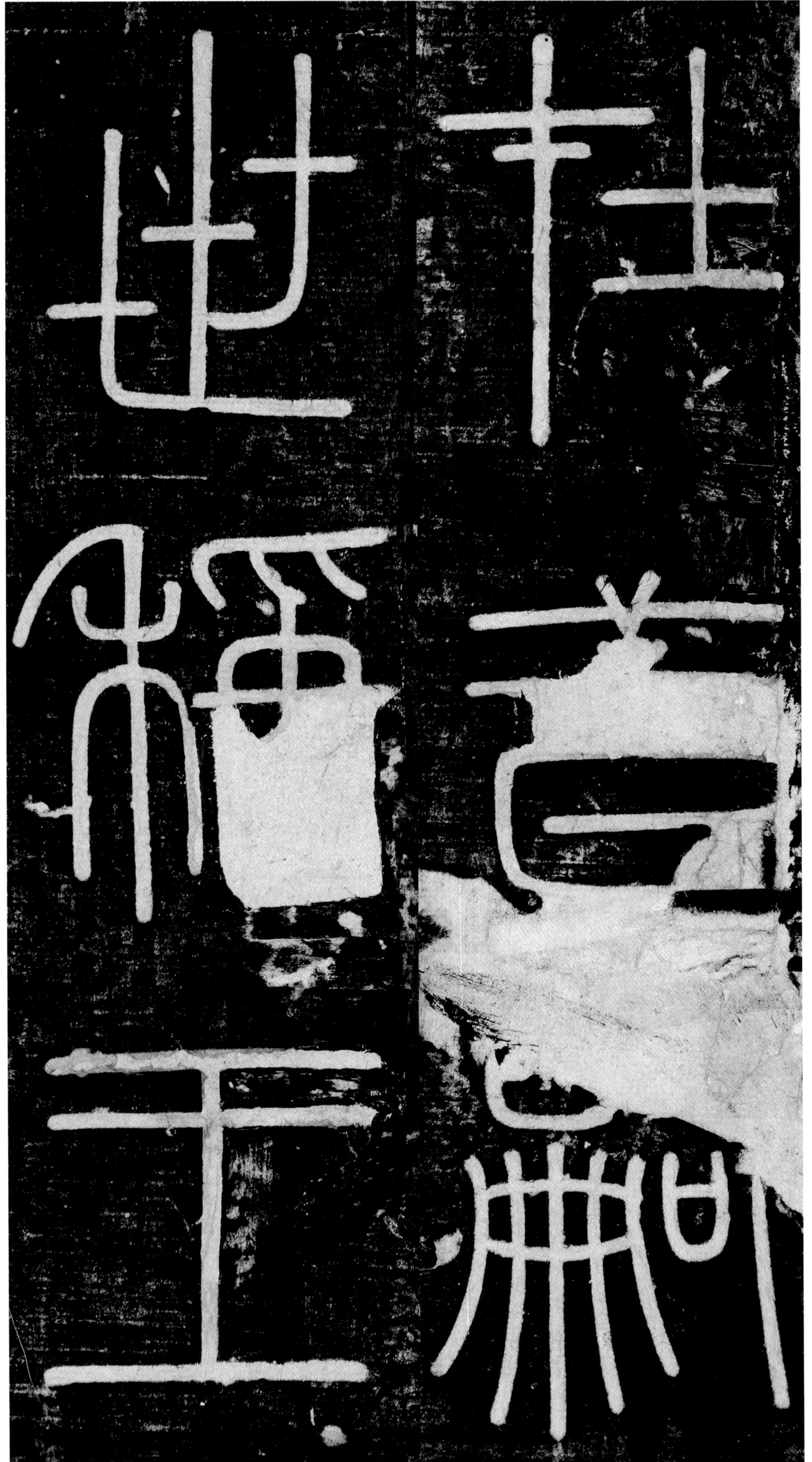

在昔，嗣／世稱王。／

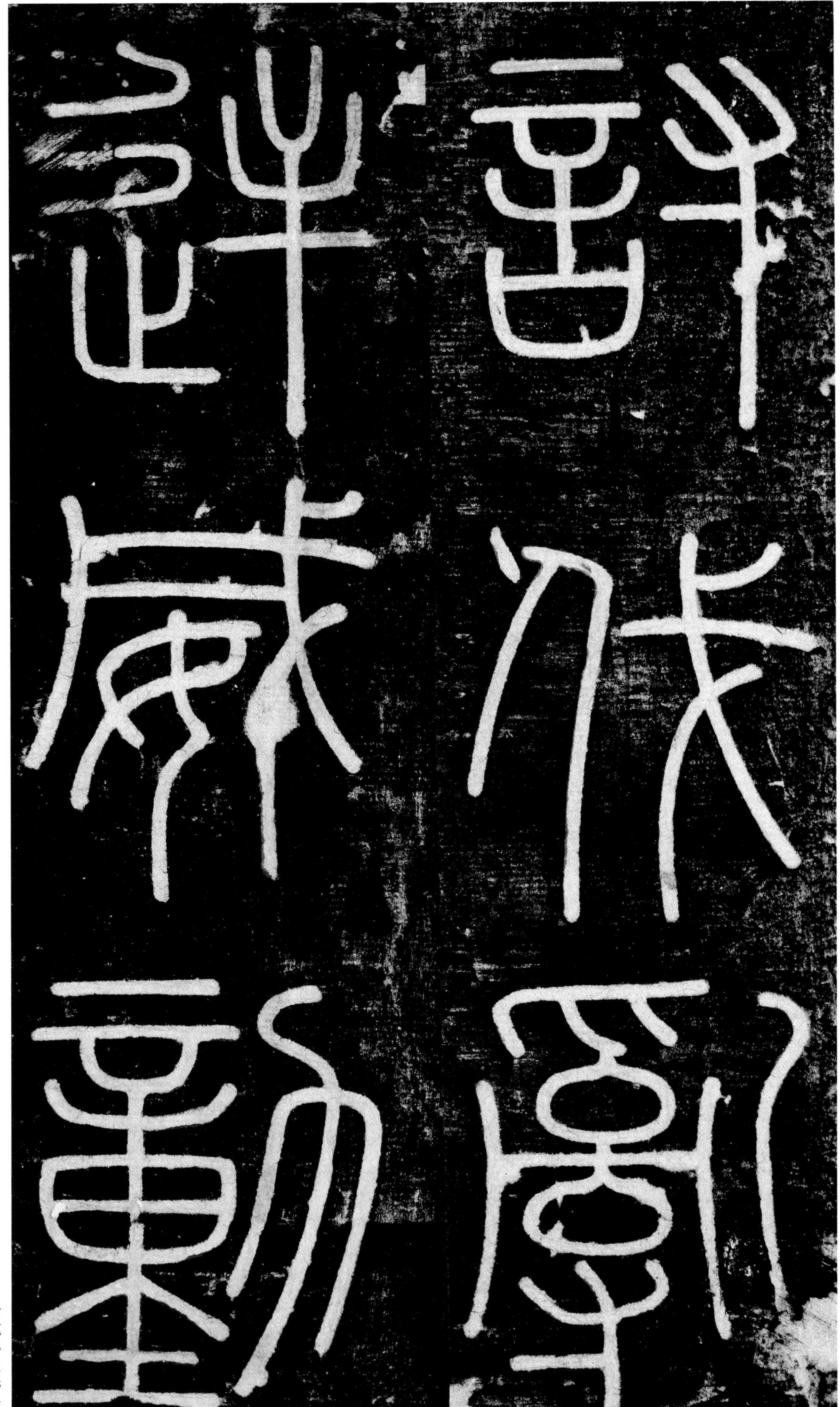

討伐亂／逆，威動／

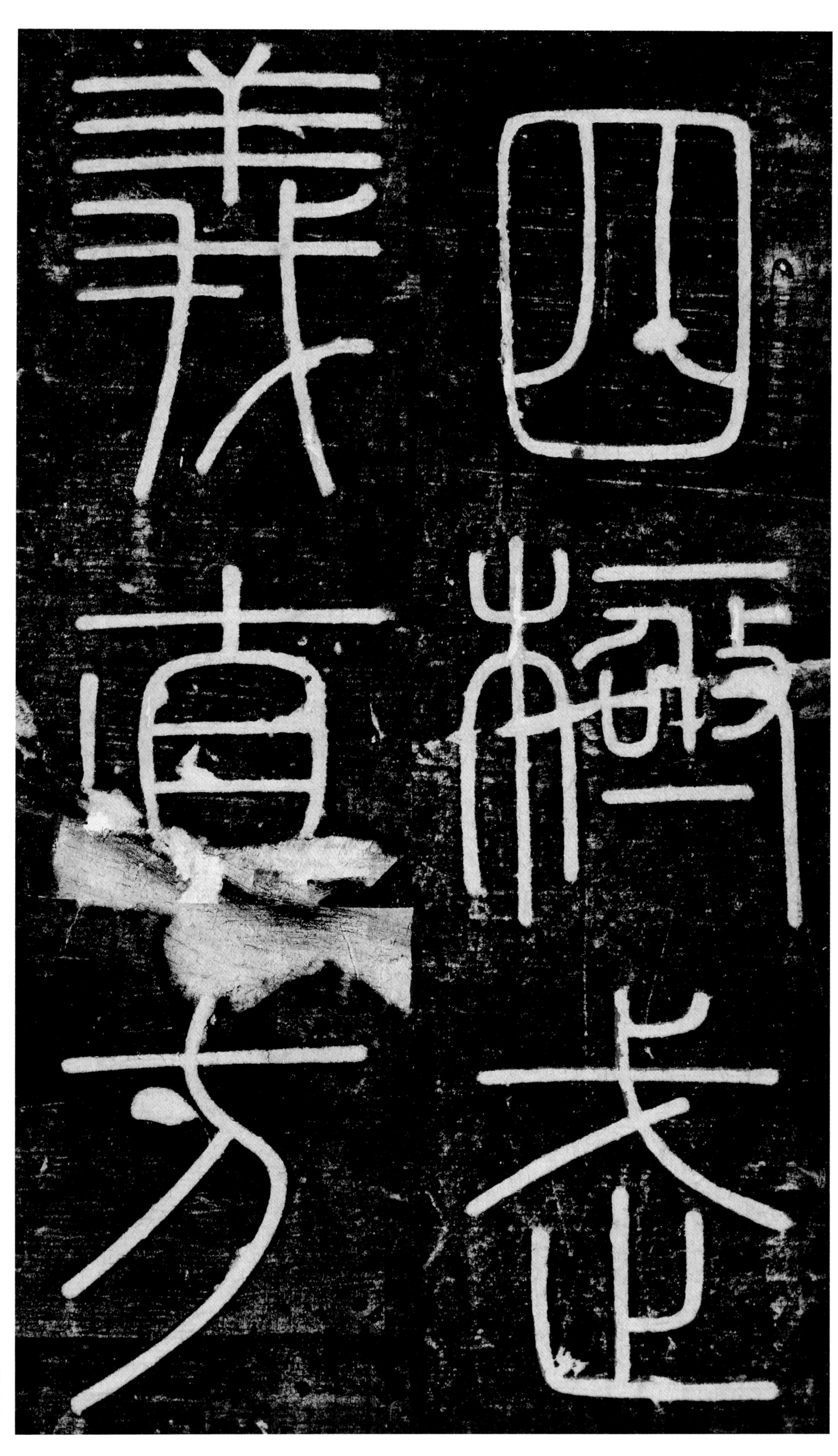

四極，武／義直方。／

四極：四方極遠之地，即天下。

武義：武事，武功。直方：正直，正義。

戎臣：帶兵的將領。

戎臣奉/詔，經時/

不久，滅／六暴强。／

滅六暴强：指誅滅六國。秦始皇在統一過程中共兼併齊、楚、燕、韓、趙、魏六國。

廿有六年：秦始皇二十六年，即公元前二二一年。

薦：進，獻。

廿有六／年，上薦／

孝道：指秦始皇繼承與發展了自秦孝公任用商鞅變法以來所推行的法家路綫。又，一説『孝』字疑爲『教』字磨滅右半，『道』通『導』，於意以『教導』爲順。

高號：超高的稱號，即皇帝的尊號。

高號，孝／道顯明。／

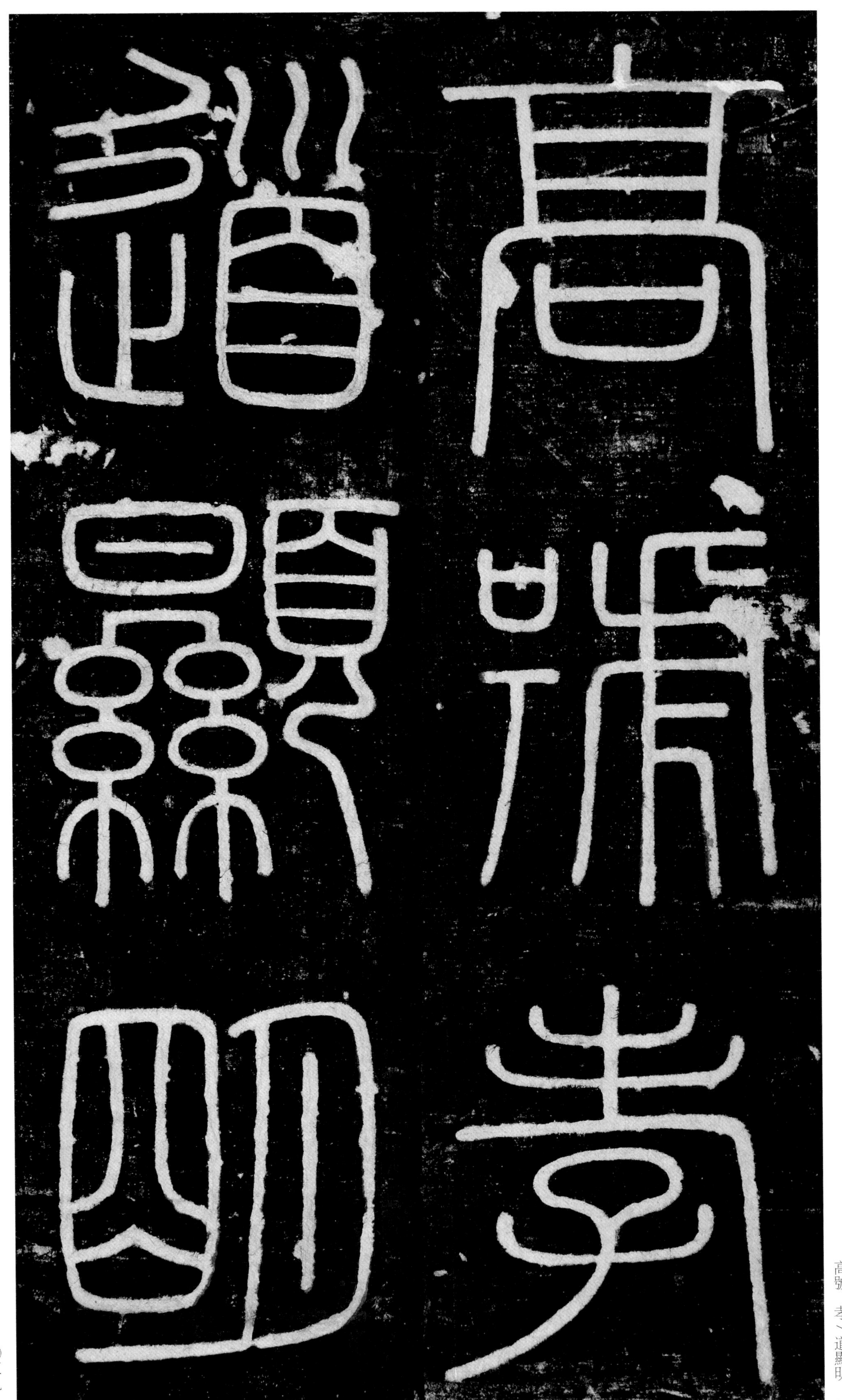

既獻泰／成，乃降／

泰：通『太』，大。泰成：即大成。指統一的事業。

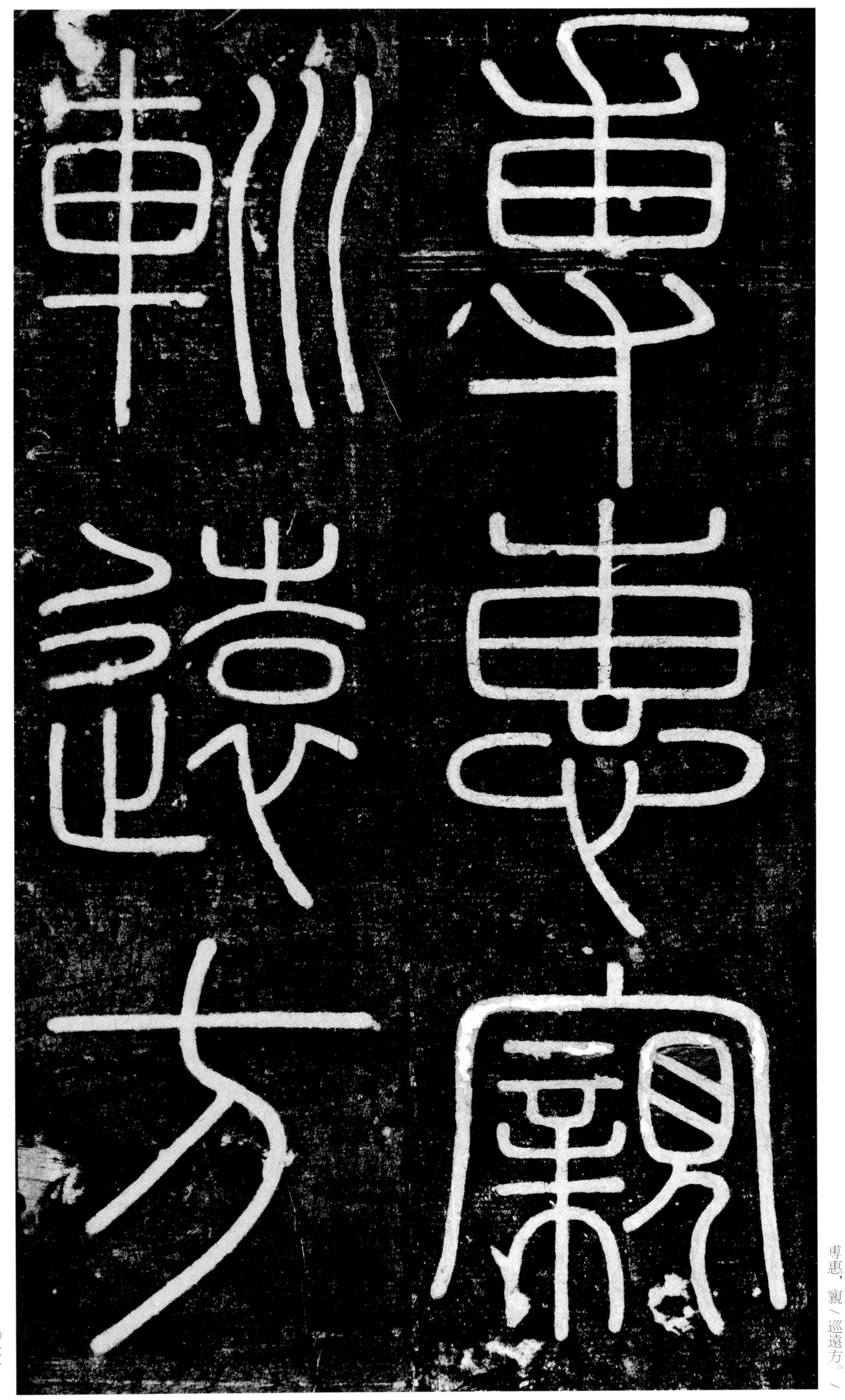

尃：同『溥』。溥，通『普』。普惠：遍及天下的恩澤。

寴：同『親』。

尃惠，寴/巡遠方。/

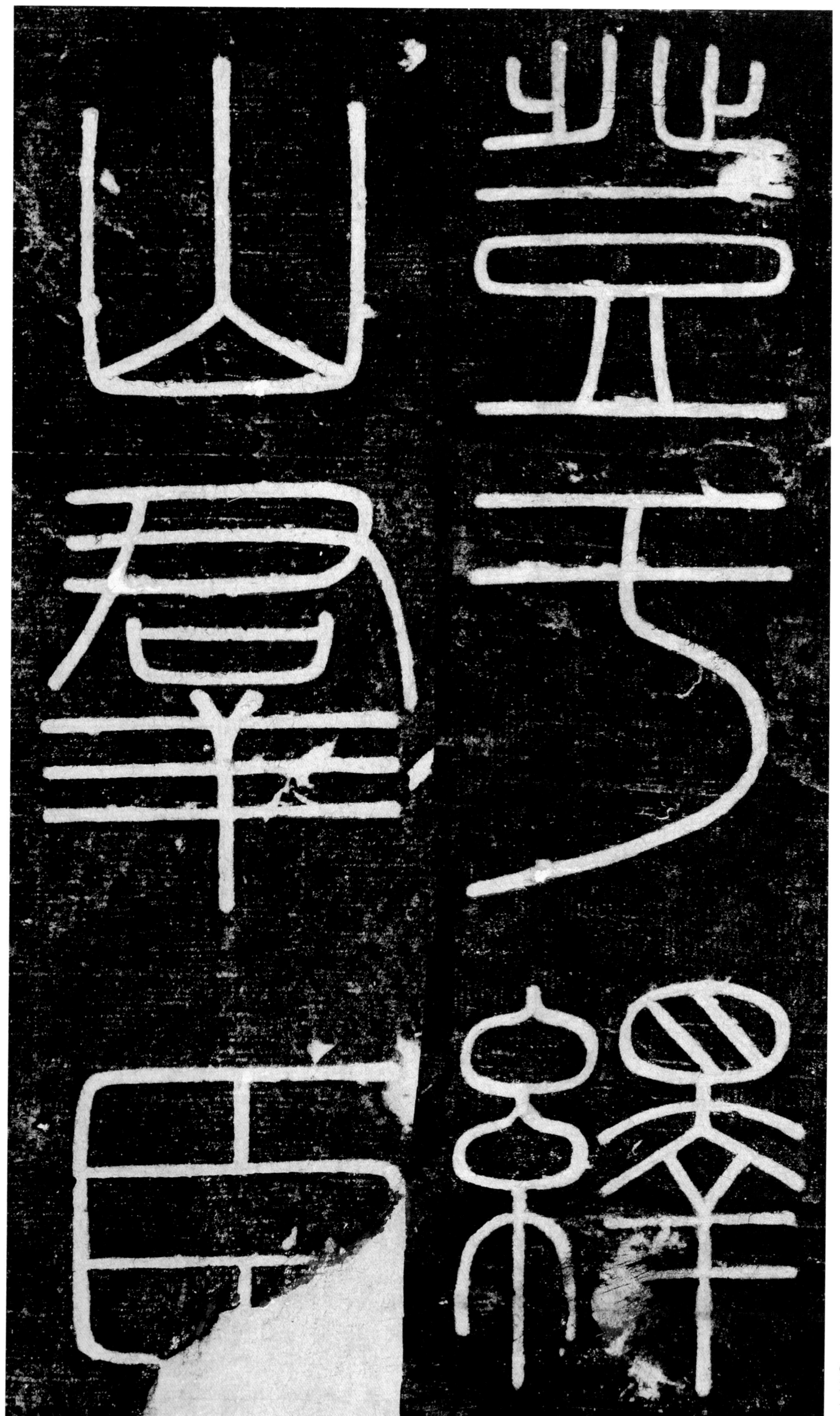

登於繹〈山，群臣〈

繹：通『嶧』。元代于欽《齊乘》卷一：『嶧山，鄒縣東南二十里。京相璠曰嶧山，在鄒縣繹邑之所依。山東西二十里，高秀獨出，積石相臨，殆無土壤，石間孔穴，洞達相通，有如數間屋者。俗謂之嶧孔。避亂入嶧，外寇雖衆，無所施害。永嘉之亂，太尉郗鑒將鄉曲千餘家逃此，今山南有大嶧名郗公嶧，亦有古城遺迹。《史記》始皇二十八年東行郡縣，上鄒嶧山，刻石頌德。《三代地理書》曰，始皇乘羊車登嶧山，刻石處名曰書門。』

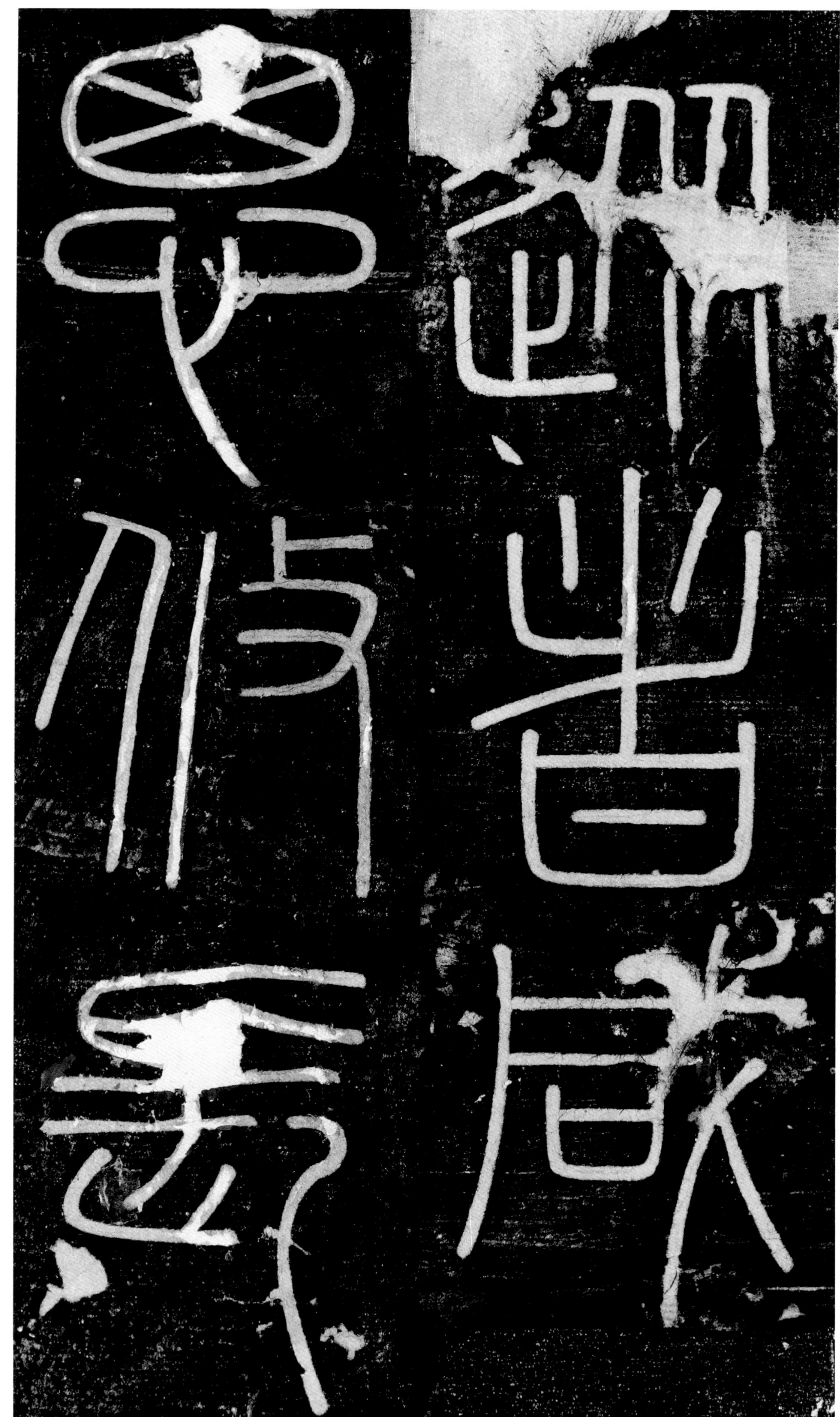

從者，咸／思攸長。／

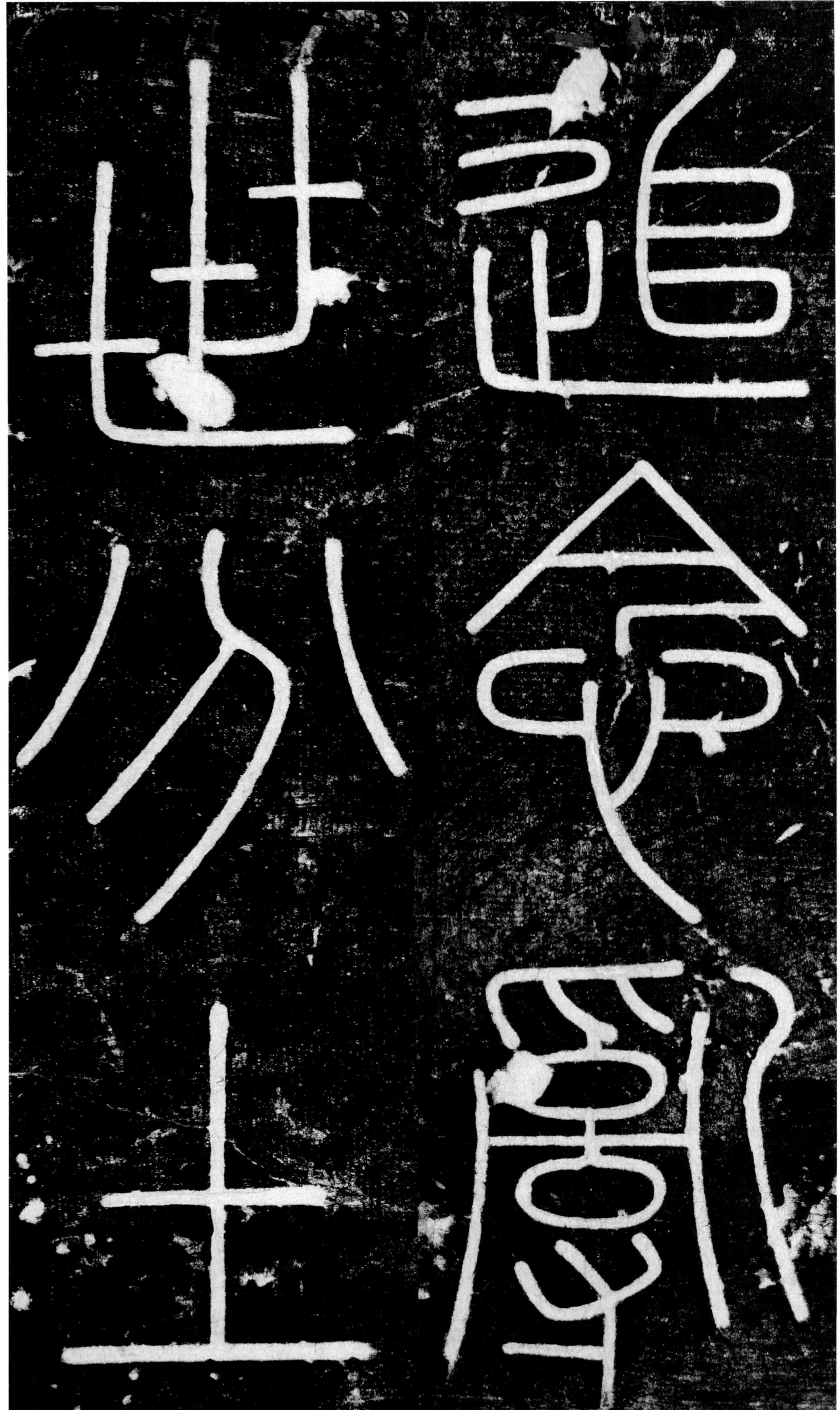

追念亂／世，分土／

分土建邦：指奴隸社會的分封制，形成了諸國分裂的局面。

建邦，以〈開争理。〉

功：通『攻』。

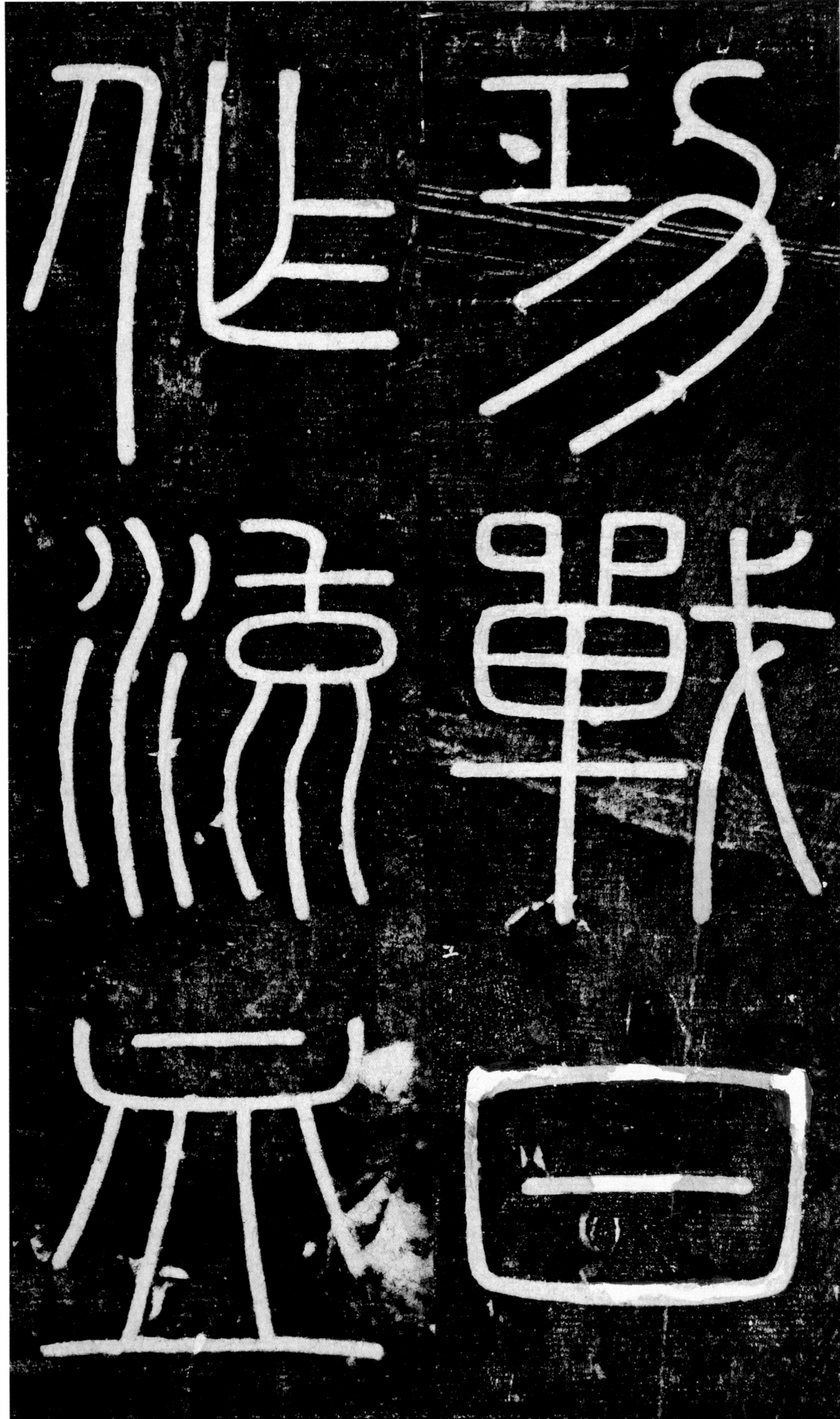

功戰日〈作，流血〈

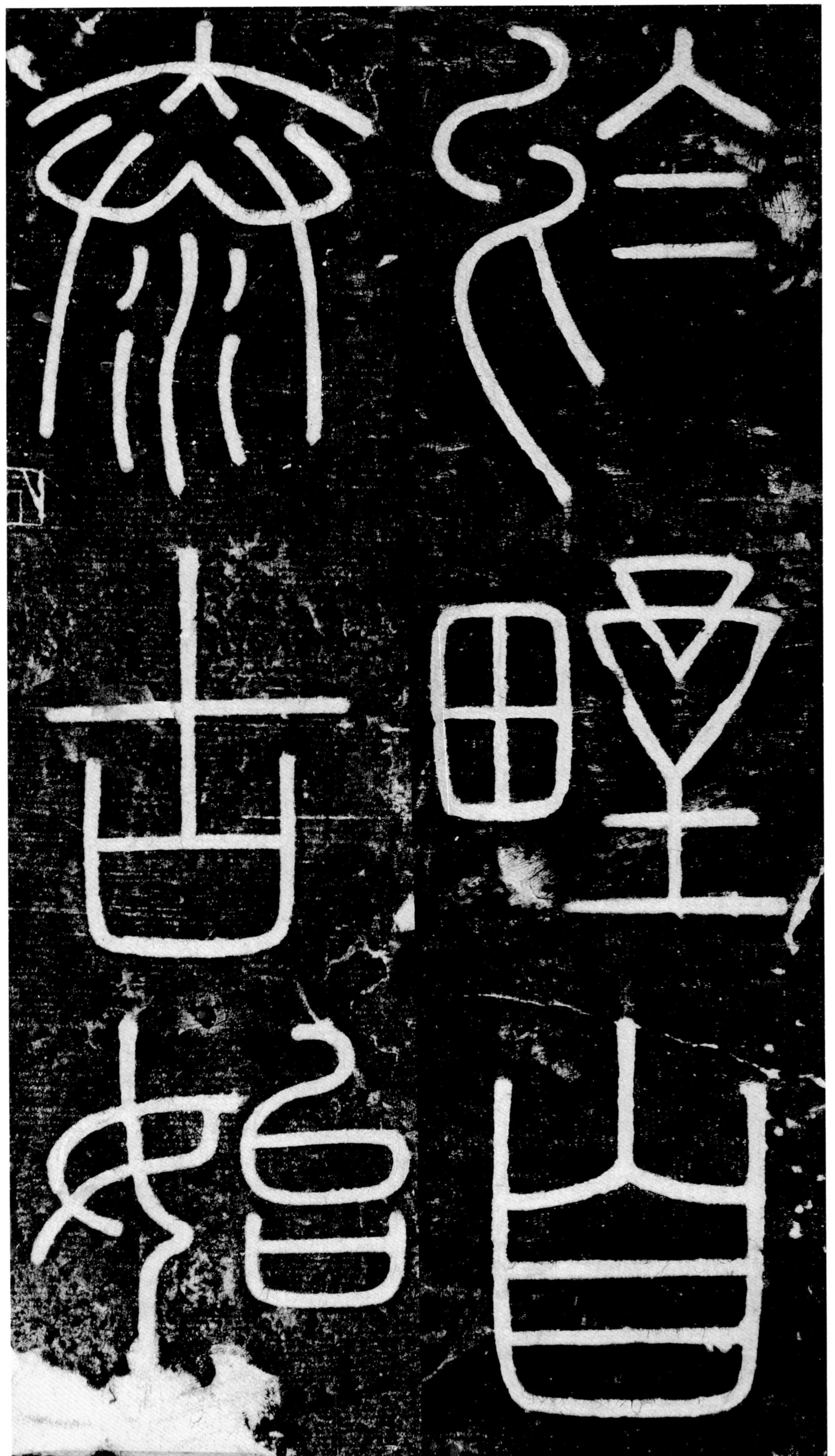

泰古：上古，遠古。

於野，自／泰古始。／

陁：同『阤』，敗壞。

世無萬/數，陁及/

五帝，莫〈能禁止。〉

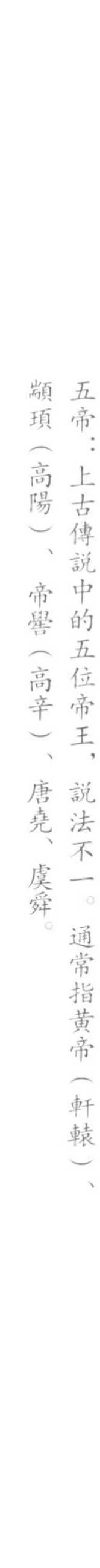

五帝：上古傳説中的五位帝王，説法不一。通常指黄帝（軒轅）、顓頊（高陽）、帝嚳（高辛）、唐堯、虞舜。

逌：同『乃』。

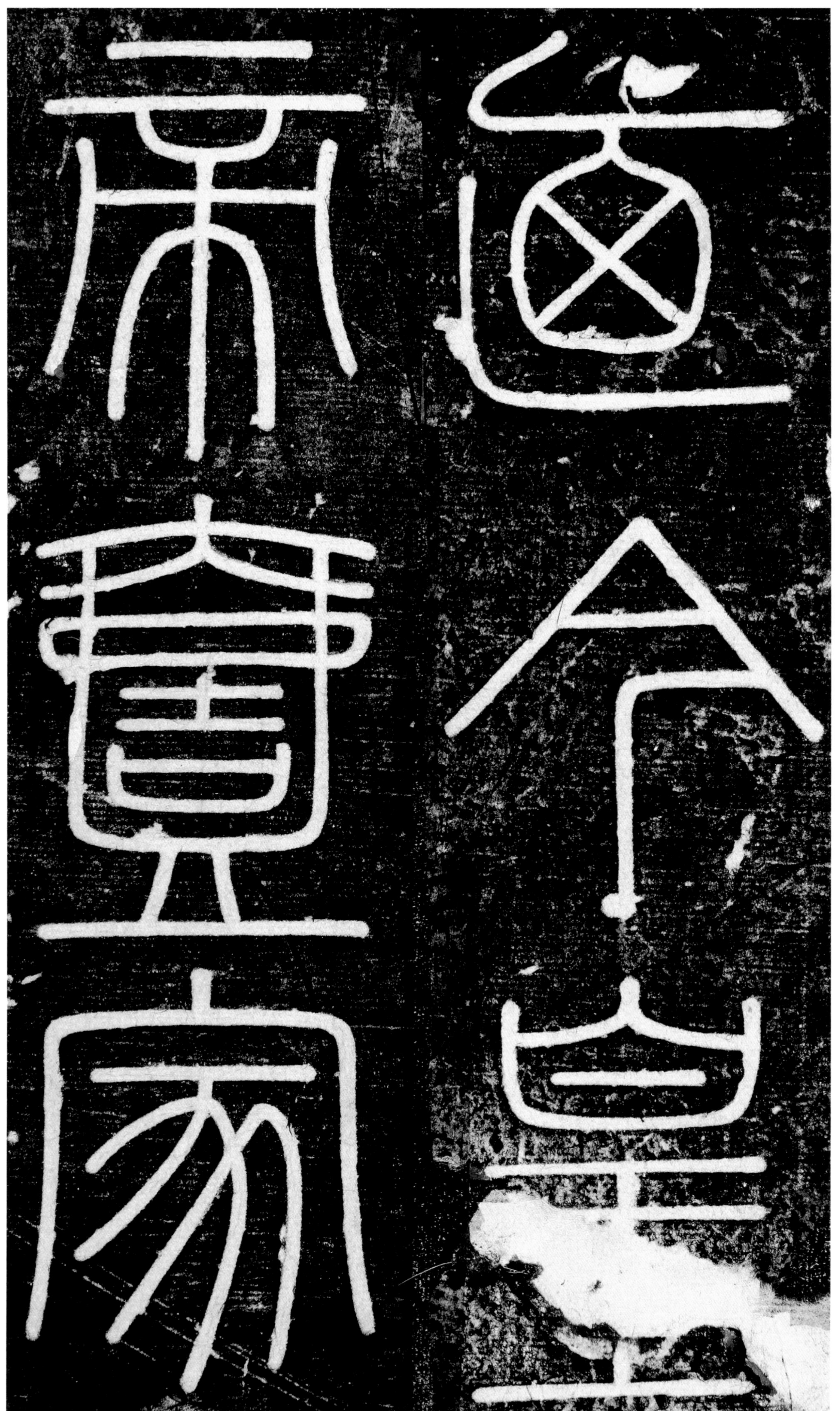

逌今皇╱帝，壹家╱

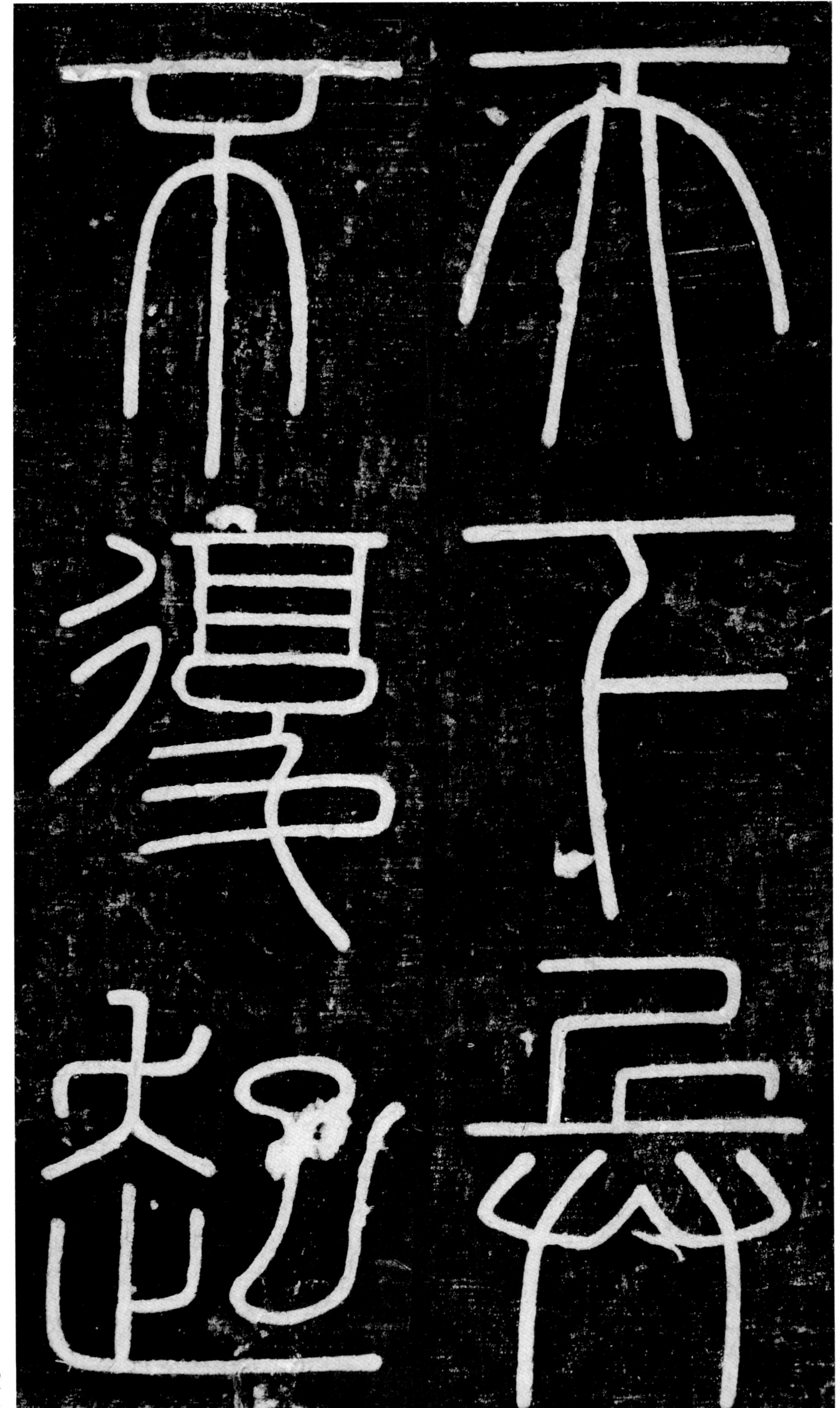

天下，兵〈不復起。〈

災害滅〈除，黔首〈

黔首：指平民百姓。《史記》卷六《秦始皇本紀》：『更名民曰黔首。』

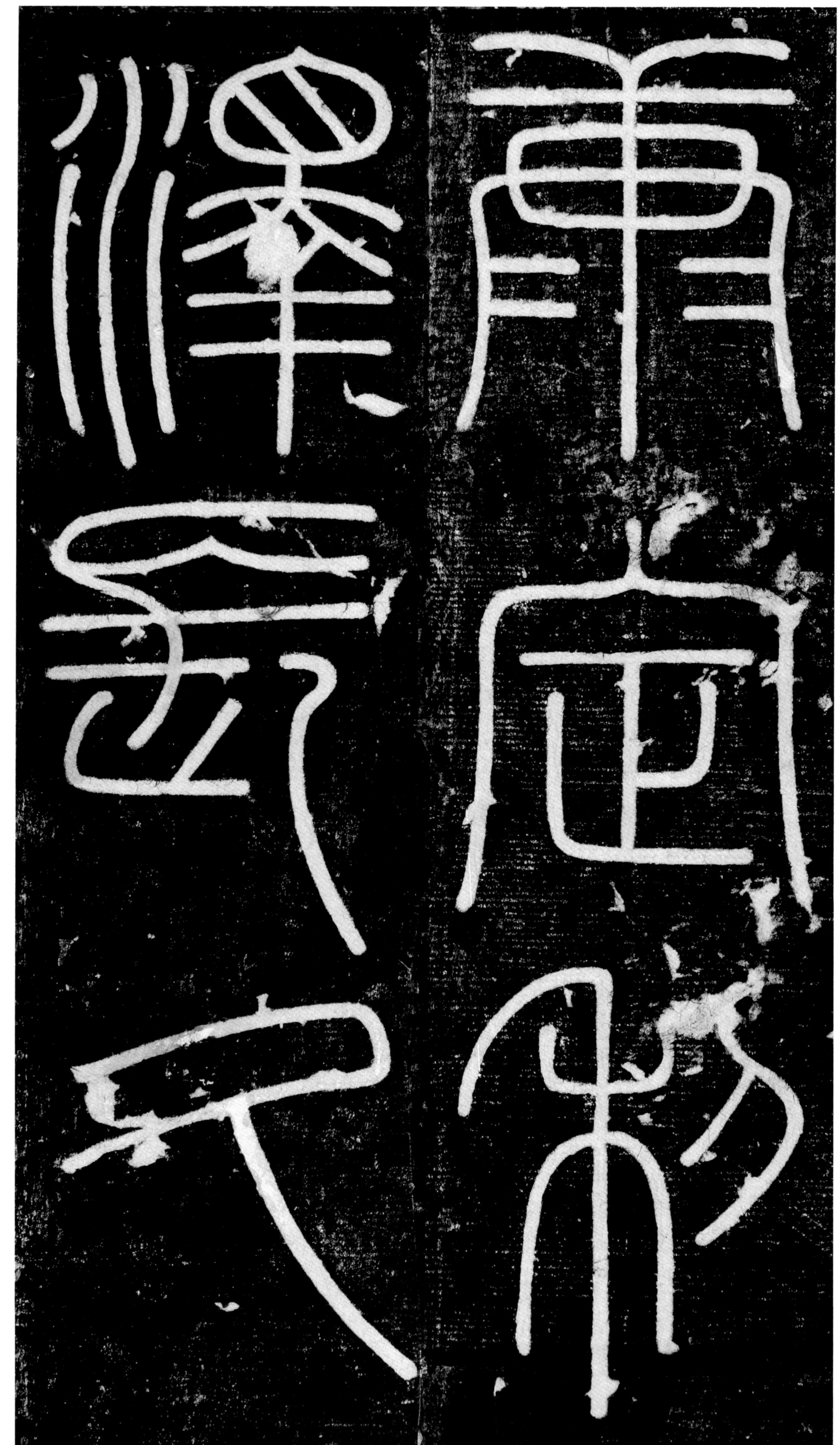

康定，利／澤長久。／

群臣誦略：《古文苑·嶧山刻石》宋章樵注：『言功德隆盛，群臣莫能名言，但誦其大略而已。』

群臣誦/略，刻此/

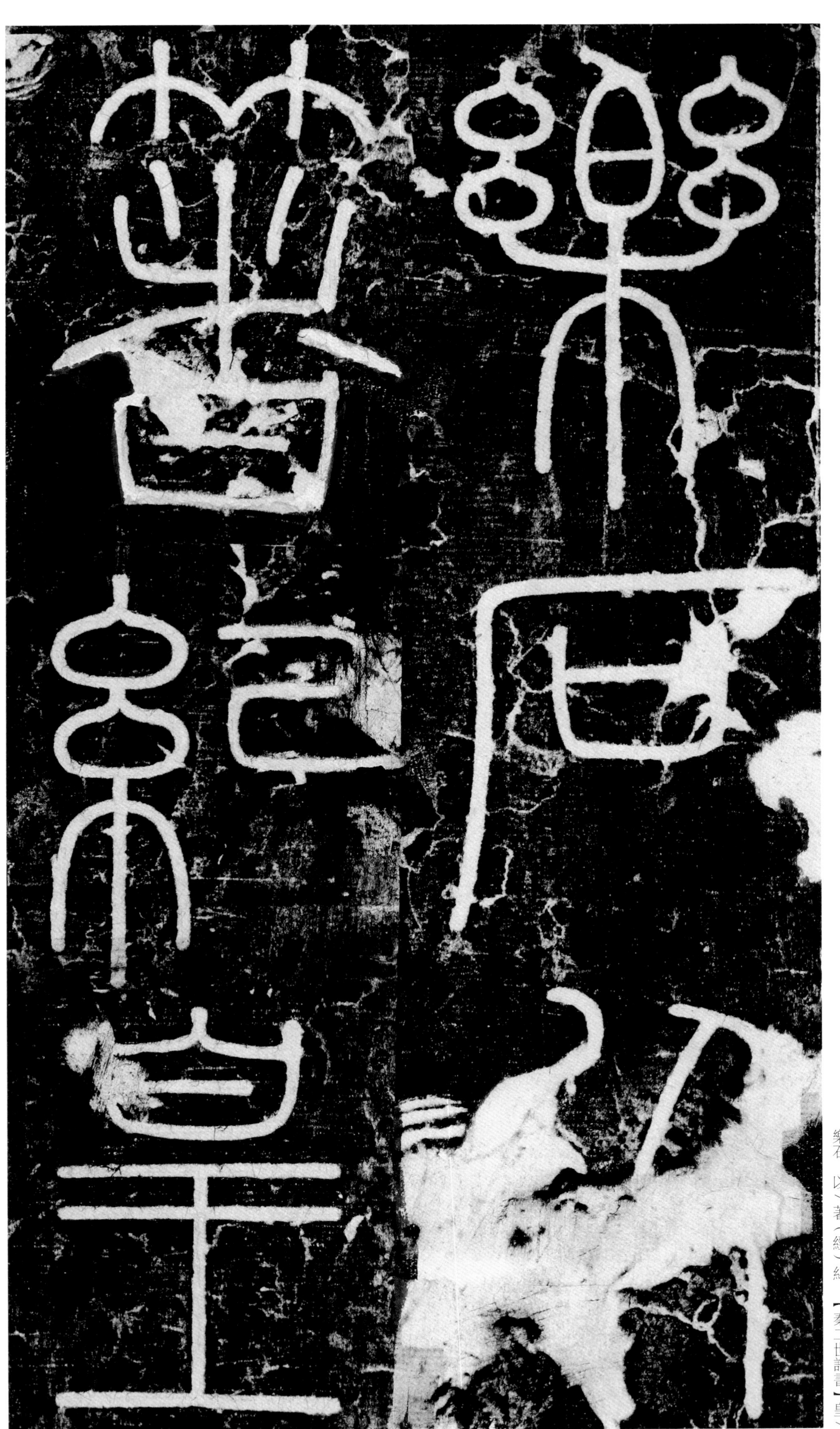

樂石，以／著（經）紀。【秦二世詔書】皇／

樂石　原指可製樂器的石料。因《嶧山刻石》有此句，後世遂以之泛指碑石或碑碣。唐顔師古《匡謬正俗》卷八：「樂石，或問曰：『秦始皇《嶧山刻石》文云刻兹樂石，樂石何也？』答曰：許慎《説文解字》曰：『磬，樂石也。』樂石，即磬也。《禹貢》稱徐州嶧陽孤桐，泗濱浮磬，言泗水之濱有石，可以爲磬。蓋秦之所刻，即是磬石。近泗濱，故謂之樂石耳。所以獨嶧山之文以稱之，他刻石文則無此語也。而近代文士遂總用碑碣之事，蓋失之矣。」

經紀：綱紀，法度，秩序。

帝曰：『金／石刻盡／

皇帝曰：按，本句以下是秦二世時所刻詔書，意在説明以上的刻辭是秦始皇所刻。

始皇帝ㄑ所爲也。ㄑ

（今）襲號，而／金石刻／

襲號：秦二世承襲秦始皇的『皇帝』尊號。

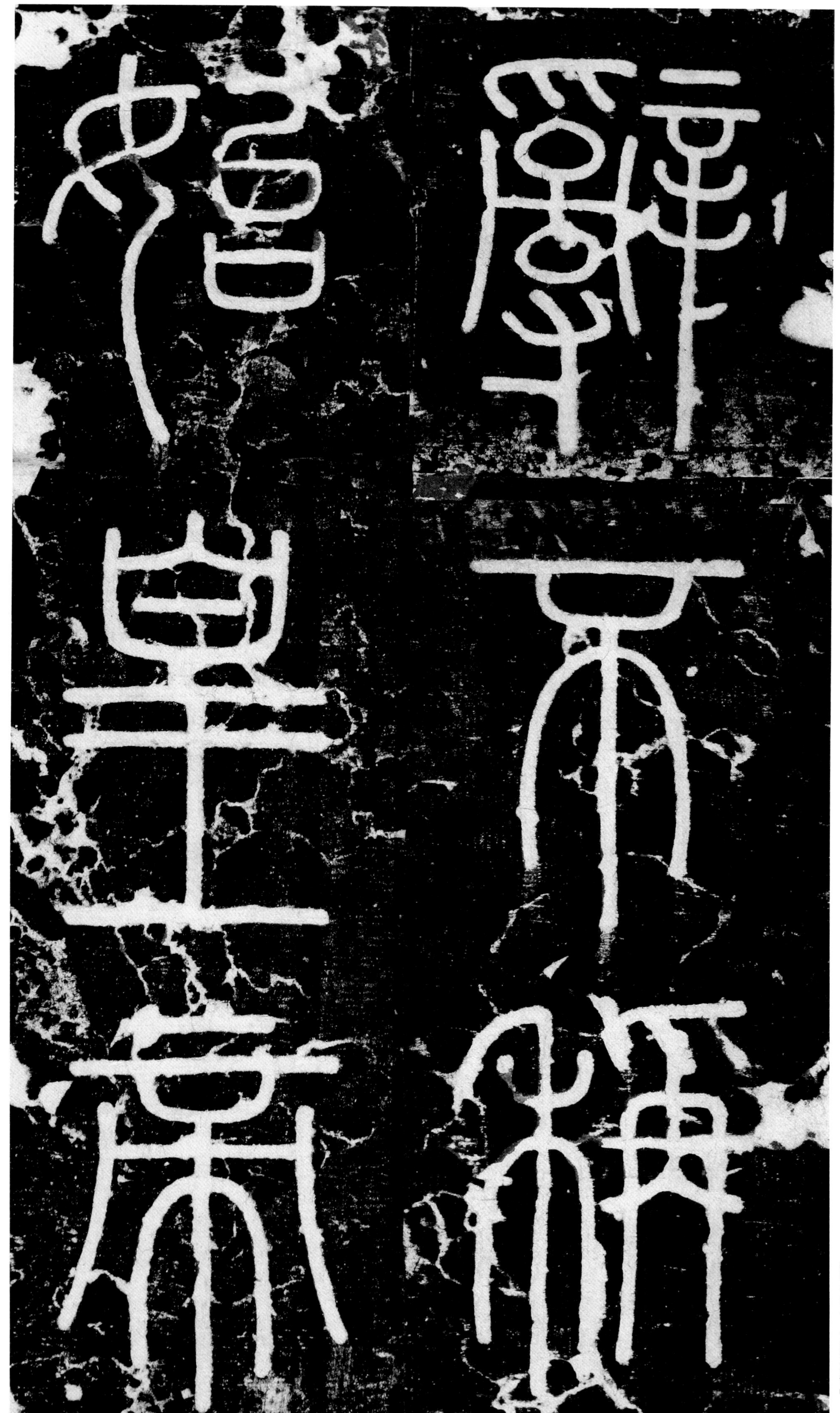

辭不稱／「始皇帝」，／

其於久／遠也，如／

後嗣爲／之者，不／

稱成功／盛德。』丞／

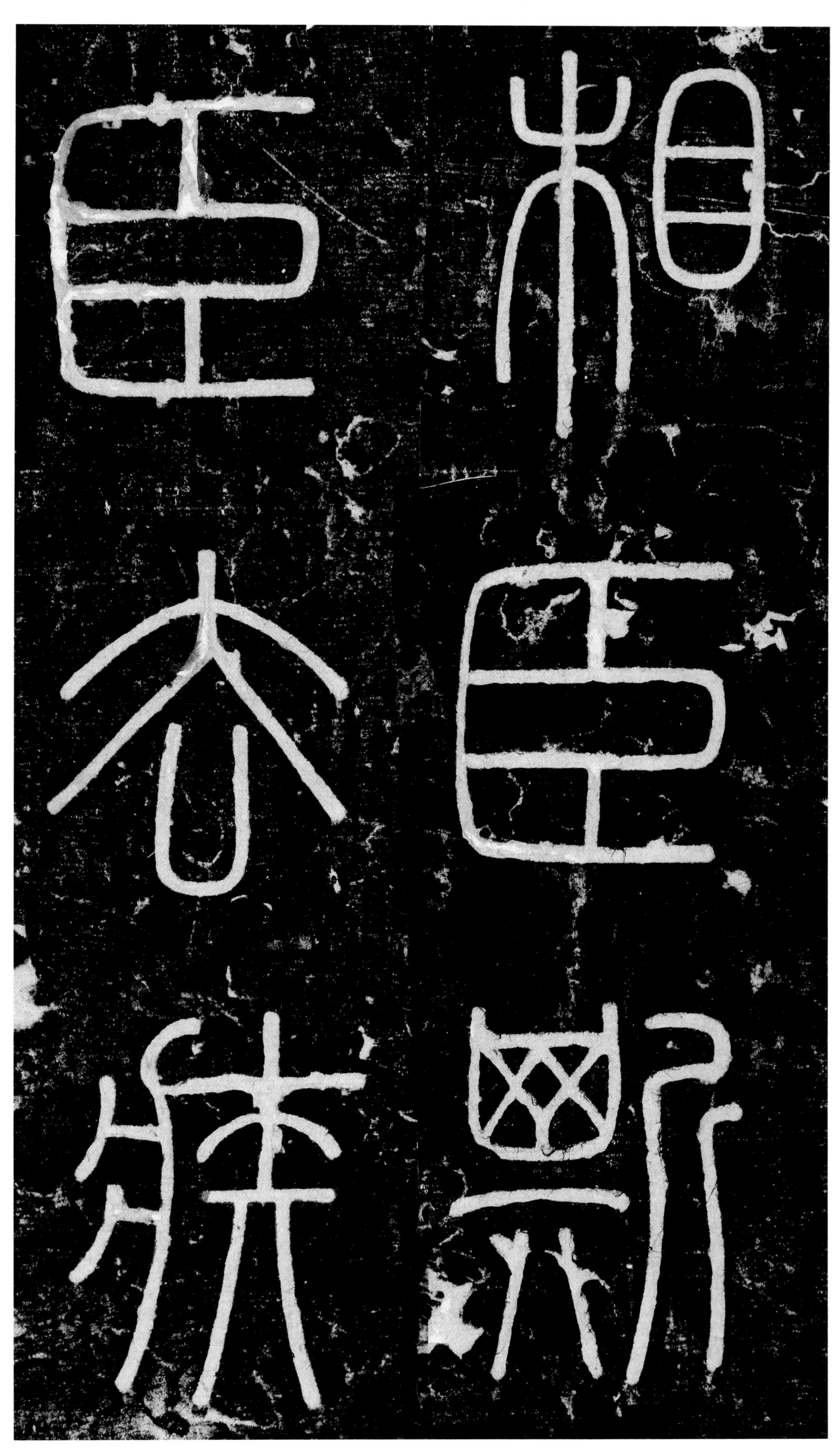

相臣斯、╱臣去疾、╱

丞相臣斯：即左丞相李斯。

臣去疾：據《史記集解》，即右丞相馮去疾。

御史大夫〈臣德昧〈

御史大夫臣德：此人史籍失載其姓。

死言：『臣／請具刻／

詔書金/石刻，因/

詔書：秦二世的詔書。即指上文『皇帝曰』下面的此一段話。

『臣昧死請』：同上文的『臣某昧死言』，是古代臣子上表的固定格式。本文保留了秦代皇帝下詔和群臣上表的格式，是現存秦代表詔的唯一遺存，具有極高的史料價值。由此可知，漢代的表詔制度即由承襲秦代制度而來。

明白矣。／臣昧死／

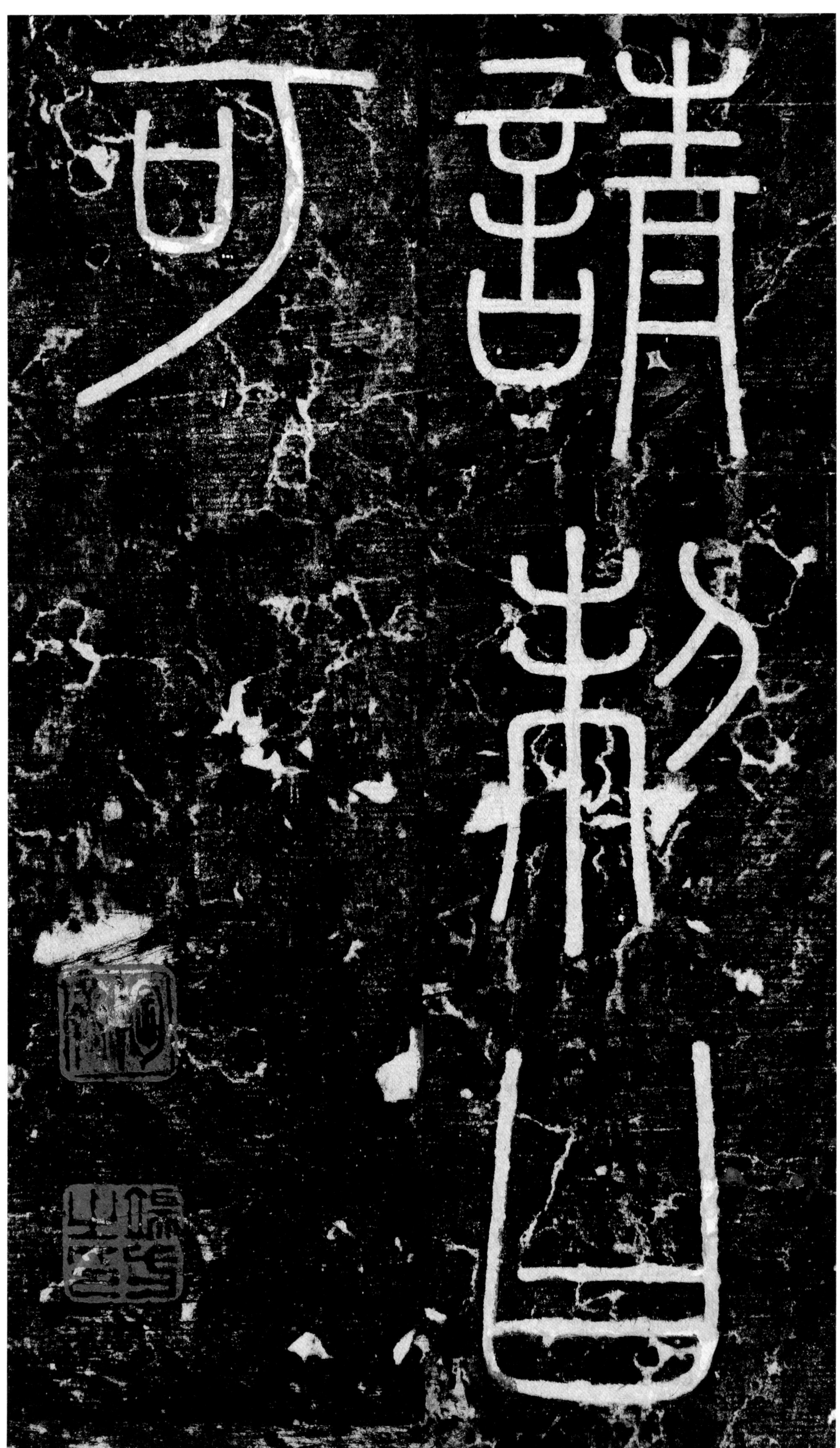

可：表示允許。

制：皇帝下達的命令。

請。」制曰：「可。」

秦相李斯書繹山碑

跡妙時古殊為世重

故散騎常侍徐公鉉

酷耽玉著垂五十年

時無其比晚節獲繹

山碑摸本師其筆力
自謂得思於天人之
際因是已之舊跡焚
擲略盡文寶愛學徐
門粗堅企及之志太

平興國五年春再舉
進士不中東適齊魯
家登繹山求訪秦碑
邈然無覩建於甸泱
怊悵于榛蕪之下惜

其神蹤將墜於世令
以徐所授模本刊于
長安故都國子學廣
博雅君子見先德之
指歸淳化四年八月

十五日承奉郎守太
常博士陝府西州水
陸計度轉運副使賜
緋魚袋鄭文寶記

歷代集評

案小篆者，秦始皇丞相李斯所作也。增損大篆，異同籀文，謂之小篆，亦曰秦篆。……畫如鐵石，字若飛動，作楷隸之祖，爲不易之法。

——唐 張懷瓘《書斷》

始皇以和氏之璧琢而爲璽，令斯書其文，今《泰山》、《嶧山》、《秦望》等碑並其遺跡，亦謂傳國之偉寶，百代之法式。斯小篆入神，大篆入妙也。

——唐 張懷瓘《書斷》

小篆者，李斯造也。或鏤纖屈盤，或懸針狀貌。鱗羽參差而互進，珪璧錯落以爭明。其勢飛騰，其形端儼。李斯是祖，曹喜、蔡邕爲嗣。

——唐 張懷瓘《六體書論》

篆則周史籀，秦李斯，漢有蔡邕，當代稱之。俱遺芳刻石，永播清規。籀之狀也，若生動而神憑，通自然而無涯。遠則虹紳結絡，邇則瓊樹離披。

——唐 竇臮《述書賦》

李斯小篆之精，古今妙絕。……猶夫千鈞强弩，萬石洪鐘。

——唐 李嗣真《書後品》

夫秦雖無道，然所立有絶人者，文字之工，世亦莫及，皆不可廢。後有君子，得以覽觀焉。正月七日甲子記。

——宋 蘇軾《書瑯琊篆後》

秦斯爲古今宗匠，一點榘度不苟，聿道聿轉，冠冕渾成，藏奸猜於樸茂，寄權巧於端莊，乍密乍疏，或隱或現，負抱向背，俯仰承乘，任其所之，莫不中律。書法至此，無以加矣。

——明 趙宧光《篆書指南》

秦碑力勁，漢碑氣厚。一代之書，無有不肖乎一代之人與文者。

——清 劉熙載《藝概》

周篆委備，如《石鼓》是也；秦篆簡直，如《嶧山》、《瑯琊臺》等碑是也。其辨可譬之麻冕與純焉。

——清 劉熙載《藝概》

秦相易古籀爲小篆，遒隸有餘而深噩之意遠矣。用法刻深，蓋亦流露於書律。此二十九字古拓可珍，然欲溯源周前，尚不如兩京篆勢寬展圓厚之有味。斫雕爲樸，破觚爲圓，理固然耳。

——清 何紹基《東洲草堂金石跋》

嬴政之跡，惟此巍然，雖磨泐最甚，而古厚之氣自在，信爲無上神品。

——清 楊守敬

筆劃圓勁，古意畢臻，以《泰山》廿九字及《瑯琊臺碑》較之，形神具肖，所謂下真跡一等。故陳思孝論爲翻本第一，良不誣也。

——清 楊守敬《跋長安本嶧山刻石》

秦分裁爲齊整，形體增長，蓋世變古矣。然瑯琊秦書，茂密蒼深，當爲極則。

——清 康有爲《廣藝舟雙楫》

秦分（即小篆），以李斯爲宗，今《瑯琊》、《泰山》、《會稽》、《之罘》諸山刻石是也。相斯之筆劃如鐵石，體若飛動，爲書家宗法。

——清 康有爲《廣藝舟雙楫》

圖書在版編目（CIP）數據

秦刻石三種/上海書畫出版社編.——上海：上海書畫出版社，2013.8
（中國碑帖名品）
ISBN 978-7-5479-0654-5
Ⅰ.①秦… Ⅱ.①上… Ⅲ.①篆書—碑帖—中國—秦代
Ⅳ.①J292.22
中國版本圖書館CIP數據核字（2013）第186580號

中國碑帖名品［五］

秦刻石三種

本社 編

責任編輯 馮 磊
釋文注釋 俞 豐
審　　定 沈培方
責任校對 周倩芸
封面設計 王 峥
整體設計 馮 磊
技術編輯 錢勤毅

出版發行 上海書畫出版社
地址 上海市延安西路593號 200050
網址 www.shshuhua.com
E-mail shcpph@online.sh.cn
印刷 上海界龍藝術印刷有限公司
經銷 各地新華書店
開本 889×1194mm 1/12
印張 8 1/3
版次 2013年8月第1版
2020年8月第9次印刷

書號 ISBN 978-7-5479-0654-5
定價 65.00元